D1201733

СОБРАНИЕ

В. Суворов

И. Ратушинская

И. Геращенко

В. Буковский

М. Ледин

Золотой эшелон

«Гудьял-Пресс»
Москва 2000

УДК 821.161.1-313.1
ББК 84(2Рос=Рус)6-44
  З-81

По вопросам приобретения книг издательства
«Гудьял-Пресс» обращаться по телефонам:
(095) 306-91-20
(095) 306-91-21
(095) 306-91-20 (факс)

ISBN 5-8026-0082-9

ПРОЛОГ

«Говорит Москва. Доброе утро, товарищи! Передаем последние известия. Продолжается визит Президента СССР, Генерального секретаря ЦК КПСС Михаила Сергеевича Горбачева в Бразилию. Десятки тысяч жителей Рио-де-Жанейро с утра заполнили нарядно украшенные улицы в ожидании высокого Советского гостя. Настроение у всех карнавальное: всюду музыка, песни, танцы. Бразильская печать, радио и телевидение уделяют в эти дни много места Советскому Союзу, его истории и в особенности тем революционным преобразованиям, которые внесла в нашу жизнь перестройка».

Хардинг вздохнул и переключил станцию. Когда-то его должность в посольстве США в Москве считалась одной из скучных. В самом деле, что же интересного можно почерпнуть из бесконечных сообщений ТАСС о передовиках производства, из передовиц «Правды» и вот этих вот «последних известий», чтоб они и вправду были последними? И что было проку в этой могучей радиоустановке, позволявшей ловить практически любой радиосигнал на территории СССР, если этот «сигнал» неизменно оказывался все теми же сообщениями о передовиках и доярках? Сколько ни крути это чудо японской техники, ничего другого не услышишь. Огромная страна не желала рассказать о себе ничего интересного, словно и не жили на ее гигантских просторах сотни народов, а производственные планы были самым интересным в их жизни. И что тут напишешь в политических отчетах Госдепартаменту? Ну, разве какой-нибудь партийный бонза, подвыпив на очередном приеме, сболтнет что-нибудь, да и то иди гадай, не нарочно ли. Так вот и переписывали многие поколения предшественников Хардинга бесконечные статистические сводки, да высасывали из пальца истории о глухой борьбе в Политбюро между «ястребами» и «голубями».

Но Хардингу сильно повезло — он попал в Москву уже в эпоху гласности, когда должность его превратилась в одну из самых увлекательных. Пожалуй, даже слишком увлекательную, ибо теперь не хватало времени хотя бы поверхностно ознакомиться со всей доступной информацией, не говоря уж о том, чтобы ее обработать. Безгласная в прошлом страна вдруг заголосила на все лады, ошеломляя привыкших к тишине посольских работников. Тысячи движений, союзов, партий, каждая непременно со своей газетой или журналом, десятки народов и народностей, каждая непременно со своим, никому не известным языком и своими обидами. И как тут уследить, где еще только ругаются, а где уже подрались? Так и не достроившись до светлых небес, рушилась Вавилонская башня социализма, и ее бывшие строители, пораженные разногласностью, дрались на этих развалинах, не понимая и не слушая друг друга.

В довершение всех бед, даже в Политбюро действительно стало что-то происходить почти каждую неделю. И глядишь, только записал кого-то в «либералы», а его уж и выгнали за консерватизм. Беда, да и только. Отчет-то уже в Вашингтоне! И вглядывался Хардинг в лица советских вождей, гадая: подведет — не подведет? Черт же их знает, морды все как на подбор, рыхлые, тусклые. Никакого проблеска.

Зато отслушав обязательные «последние известия», проглядев сообщения ТАСС и центральные газеты, устраивался Хардинг поудобнее в кресле, закуривал сигарету и с наслаждением принимался крутить свою чудо-машину, уплывая по радиоволнам на просторы необъятной страны. За каких-нибудь пару часов такого наслушаешься, столько узнаешь, что и на три отчета хватит.

«Говорит Магадан, столица Свободной Дальневосточной Республики. Продолжается съезд делегатов Учредительного Собрания республики. На утреннем заседании с большой речью выступил представитель Чукотской автономии писатель Рытхэу. Он сказал, что великий чукотский народ страдает больше всех других народов. Земля его разграблена, природные ресурсы истощены, а загрязнение промышленными отходами дошло до того, что чукча не может больше заниматься своим традиционным промыслом, охотой и рыболовством. Олени вымирают как мамонты, а тюлени все поголовно эмигрировали на Аляску, сказал оратор. Это ли не символично для жизни всей нашей страны? Лишенный своего привычного обихода, чукча стал посмешищем у других народов, объектом глупых и часто оскорбительных шуток. Между тем, продолжил оратор, другим народам следовало бы посмотреть более внимательно на себя. Ведь не только чукча, но и все они кроме традиционных чувств голода и холода испытывали чувство глубокой благодарности к родной Коммунистической партии последние семьдесят пять лет. Под бурные аплодисменты делегатов оратор закончил призывом отделить Чукотский полуостров от СССР и присоединить его к Аляске. Долг чукчи, сказал он, быть там, где находятся его тюлени. Это умное животное первым нашло выход из созданного нами кризиса».

От души пожалев чукчу, Хардинг все-таки никак не мог себе представить присоединения Чукотки к Аляске. То-то переполоху будет в Госдепе от такого предложения!

«Гаварыт Ереван. В эфире Армянский радио. Дарагые таварыщы. Убэдытельно просым вас нэ прысылать нам вашы вапросы. Армянский радыо нэ в состояныы отвэчать на всэ вапросы слюшатэлэй. Павтаряем еще раз для всэх, кто абращался к нам: мы нэ знаем, чэм кончится пэрэстройка... Пэрэдаем лэхкый музыка».

Он уже прослушал длинную передачу из Новгорода о восстановлении Новгородского вече и о создании отдельной Новгородской Республики, потом, кажется, из Самарканда передавали призывы ко всем исламским народам объединиться в священной войне против неверных, как вдруг набрел на какой-то странный рев в эфире, поначалу напоминавший рев глушилки. Решивши, что это какие-то помехи, он уже собрался двинуться дальше, но в последний момент различил в этом реве отдельные выкрики и сообразил, что транслируется какой-то митинг. Толпа, видимо, была настолько разъяренной, что совершенно не давала выступавшему слова вымолвить.

— Товарищи... По... Пожалуйста! Я при... приехал... Меня ЦК прислал разобраться... Товари... про... ...адо! — Но голос его безнадежно тонул в общем реве толпы. Наконец рев стал немного стихать и стало понятно, что возмущение граждан вызвано плохим снабжением, отчего весь город, не то Свердловск, не то Челябинск, понять было невозможно, бастует уже третью неделю. Верещала какая-то бабенка, явно пробившаяся к микрофонам с одобрения толпы и теперь излагавшая народные претензии московскому чиновнику.

— Я вот как мать скажу... Да, как мать четверых детей. Вам-то чего горевать? Вы небось там в Москве икру лопаете ложками... Да, вон морда-то от жира лоснится. А мы здесь, на Урале, и картошки не видим. Вам-то что? Да что картошка, полгода как ни мыла, ни стирального порошка нету. Во до чего дошли, завшивели все...

— Так я же, товарищи, затем и приехал, ЦК меня прислал разобраться, — пытался встрять чиновник, но уж опять взревела толпа, завыла, засвистела, заглушая напрочь и бабенку, и московского товарища. Только можно было различить, как, постепенно нарастая и захватывая толпу, точно заклинание, всплыло из этого хаоса одно слово, и, подхваченное тысячами голосов, заполонило собой и этот уральский город, и весь эфир, да, кажется, и всю необъятную страну.

— Ы...а, ы...а, ы...а, ы...а!

Не понял Хардинг, что же это вдруг объединило их, какой такой новый политический лозунг или, быть может, имя нового лидера?

— Ы...а, ы...а, ы...а, ы...а! — ревела толпа, и было в этом реве что-то первобытное, исконное, как голос самой природы, заглушающий в человеке все иные желания, растворяющее в себе все разграничения, национальные ли, сословные ли, все те наслоения, созданные веками цивилизации, что считаем мы уже неистребимыми в нашем человеческом общежитии.

— Ы...а! Ы...а! — Припавши ухом к самому динамику, пытался Хардинг уловить, что же все-таки они скандируют в столь единодушном порыве. И вдруг понял:

Мыла! Мыла! Мыла!

Глава 1

СУТЬ ДЕЛА

Поль Росс принадлежал к числу тех людей, у которых лицо не соответствует телу. Его тело было телом атлета: широченная грудь, мощные плечи, сильные руки с длинными, удивительно элегантными пальцами, осиная талия, пусть и начавшая чуть полнеть, и стройные ноги — чуть-чуть кривоватые, но зато придававшие его походке этакий ковбойский оттенок. К такой фигуре подошла бы крепкая голова, мужественное лицо с косматыми бровями и горящими темными глазами. Увы, его маленькая, похожая на еловую шишку голова, сидела на хрупкой шейке, а лунообразное лицо казалось неспособным выражать ничего, кроме легкого замешательства. Люди, склонные переоценивать значение наследственности, без сомнения сказали бы, что тело свое он унаследовал от русских дедушки с бабушкой, а лицо — от мамы, происходившей из штата Айова. В этом сплаве были ясно различимы черты отцовской и материнской линий. Эти две ветви фамильного древа были заметны не только в физическом, но и в психологическом складе Поля. Еще когда он учился в школе в Чикаго, он, несмотря на протесты отца, начал изучать русский язык. Его папа, превративший фамилию Ростовский в американизированного Росса, не хотел, чтобы кто-нибудь догадался, что его родители бежали от Великой Октябрьской революции. Русский давался Полю легко, он без труда запоминал длинные романтические отрывки из произведений Пушкина и Гоголя, а также и народные русские песни, — это последнее обстоятельство придавало ему популярности на университетских вечеринках. Но далее этого его любовь к России не простиралась. Его не привлекали ни блины с икрой (да его родители и не могли себе позволить такой роскоши), не тянуло его и посетить Ленинград — город, где родились его предки. Странным образом его не интересовала и русская история — если не считать отрывочных знаний, которые он почерпнул, читая русскую классику. Казалось, он чувствовал, что у него были какие-то обязательства по отношению к своим славянским предкам, но он оплатил их, изучив русский язык.

Что же касается всего остального, Поль был олицетворением практичного американца. За невыразительными чертами его лица скрывался вполне думающий человек. Кроме того, он убедительно доказывал, что работоспособность и хороший характер куда важнее в жизни, чем избыток серого вещества. Он небезуспешно окончил Иллинойский университет, а затем, полностью отвечая желаниям своего отца, продолжил обучение в Уортонской школе бизнеса. Он научился разбираться в рыночной экономике, освоил основы руководства сотрудниками, и занял место своего отца у руля инженерной фирмы в Чикаго. Тихий и упорный Поль работал не покладая рук, и через пятнадцать лет на Среднем Западе США возникла целая цепь крайне успешных конструкторских бюро.

К началу 90-х годов Поль, состоятельный холостяк, начал серьезно подумывать о женитьбе, о необходимости продолжить семейное дело. Ему было уже под сорок, и он приближался к тому периоду своей жизни, когда человек, начиная спрашивать себя: «И в этом заключается вся жизнь?» — не может без страха ответить себе ни «да», ни «нет». В таком настроении, в апреле 1991 года, Поль отмечал со своими однокашниками двадцатилетие окончания университета. Было уже поздно, и за его столиком сидел его давнишний приятель — Джонатан Вильям Хардинг II — или просто Вилли, как его называли бывшие студенты. Коллеги же его по Министерству иностранных дел называли его уважительно Джей — Дабл Ю*, как это принято в Соединенных Штатах. В свое время, в университете, Хардинг был одним из самых популярных студентов — его отец был весьма известным адвокатом в городе Каир, неподалеку от Сан-Луи. Популярность сына покоилась на том факте, что он не испытывал недостатка в карманных деньгах, водил длинную и блестящую машину, и блестяще же умел соблазнять городских девочек. Помимо того, он еще и великолепно играл в теннис.

Деньги у Хардингов были, но, как они постоянно напоминали своему сыну, деньги эти не свалились с неба. Богатство пришло к ним потому, что они относились ко всем благожелательно, старались делать приятное, а в деловых отношениях пытались предугадать шаги конкурентов. Социальный статус как таковой их не привлекал — им нужны были деньги, которые автоматически вызывали к себе уважение окружающих. Успех в адвокатской практике, согласно Хардингу-отцу, измерялся не числом случаев, которые он выиграл в Верховном суде, а числом выигранных случаев. А поскольку трудиться, защищая богатого клиента, приходилось столько же, сколько и при защите бедного, — вывод был ясен. Это отношение к жизни, не претерпевшее сколь-нибудь заметных изменений, унаследовал и Хардинг-сын. Он вырос в атмосфере конкуренции, и старался всегда победить. В школе он был отличником, несмотря на свои более чем скромные способности, потому что всегда точно знал, что от него ожидают, угадывал, какие вопросы будут в экзаменационном билете, и был, в общем, отличным парнем.

---

* Англ. J.W.

Популярен он был не только в школе — но и в церкви, в загородном клубе... и среди девочек. Он первый из всех своих школьных приятелей потерял невинность — ему было всего двенадцать. Это гигантское достижение автоматически превратило его в глазах мальчишек в героя, девочки же видели в нем нечто опасное и таинственное. Достижение это, впрочем, не было плодом непосредственного чувства. Это был результат типичного для Хардингов расчета. Вилли вычислил, что у хорошеньких девочек успеха он не добьется — их всегда привлекали старшие мальчики. Поэтому он обратил свое внимание на уродливых, в особенности тех, кто был на пару лет старше его. Ему не нужна кинозвезда, говаривал он своим приятелям, ему нужно просто трахнуться. С присущей всем Хардингам деловой хваткой Вилли рассчитал, что девочкам нужна любовь, иначе они в койку не прыгнут. Его признаниям в любви, поэтому, скорее всего поверит девица, ничего подобного раньше не слышавшая. На основе этого расчета он и обратил свое внимание на прыщавую толстуху — и его расчет оказался верным. Этот первый успех как бы заложил краеугольный камень в здание его дальнейших достижений на сексуальной почве в Иллинойском университете.

По окончании университета Хардинга призвали в армию. Ему повезло — он попал в разведывательный отдел Пентагона, где обрабатывались донесения разведчиков из Вьетнама и Камбоджи, прежде чем попасть на соответствующий стол в Вашингтоне. Вилли нравилось работать для правительства. В деньгах он не нуждался, по службе он продвигался без труда. В отставку он вышел майором. Перед ним встал вопрос — что же делать дальше. Интеллектуальная деятельность его не привлекала, и ему хотелось просто побродить по свету. Кроме того, он знал, что его внешность обеспечит ему успех у простушек. Поэтому он выбрал Министерство иностранных дел. Карьера его в этом учреждении была довольно обычной — сначала консулат в Боготе, потом посольство в Браззавилле, затем еще шесть лет в Госдепартаменте. Он нравился всем, производил блестящее впечатление, особенно после женитьбы на Натали Ривс, дочери вице-президента компании «Пепсикола». Прошло совсем немного времени, и он уже получил место, о котором многие мечтали. Вскоре после того, как Горбачев сменил Черненко, Хардинг оказался в Москве, в американском посольстве, на должности политического советника.

Вот этот-то Хардинг и разглагольствовал сейчас перед Полем.

— Это потрясающе, — говорил он, — в Горбачеве столько привлекающей к себе загадочности, что он скорее напоминает звезду экрана, чем политического деятеля. Только представь себе контраст между ним и бывшими ранее у руля старперами, алкоголиками и солдафонами.

— Да, — Поль приканчивал третью бутылку пива, и его любовь к бывшему однокурснику была безграничной, — должно быть, здорово жить в Москве.

— Я никогда и не воображал, что работа дипломатов может быть такой потрясающей. Понимаешь, чувствуешь, что ты участвуешь в великих исторических свершениях. И ведь никогда еще раньше коммунистический режим не преобразовывали изнутри — и эти преобразования касаются всех, живущих в Советском Союзе и Восточной Европе. Ты только подумай — один человек — конечно, Раиса — это тоже нечто фантастическое, через нее русские женщины начинают понимать, что такое подлинное освобождение, — так вот, только подумай: один человек может перевернуть целую страну — да что я говорю, весь мир! Он похож... ну, не знаю, мой старший брат рассказывал мне про Джона Кеннеди — после старика

Эйзенхауэра у руля молодой, мужественный президент, и вся страна вдруг почувствовала себя молодой. С Горбачевым, полагаю, дело обстоит так же.

— Да-а. И не сомневаюсь, женщины на нем так и вешаются, а?

— Но как! — Вилли сел на любимого конька. — Наши в посольстве считают его потрясающим. А это родимое пятно на голове у него! Знаешь, как некоторые бабы с ума сходят от шрамов?

— И русские женщины тоже?

— Ну конечно. Хотя многие из тех, кого мы встречаем — знаешь, жены политиков и интеллектуалов, — заявляют, будто он наломал таких дров! Но я думаю, кучи людей жалуются просто потому, что у них теперь появилась возможность жаловаться: сейчас можно говорить все, а раньше им годами приходилось молчать.

— Да. — Поль подергал себя за мочку уха, провожая глазами стройную фигуру официантки в обтягивающих кожаных брюках. — Должно быть, наблюдать за этим безумно интересно.

— Попал прямо в точку. А девочки! Таких красавиц ты в своей жизни не видал! — Хардинг огляделся и, понизив голос, чтобы никто его не услышал, прошептал: — А какие страстные! Что-то в этих славянках есть, знаешь ли. Душа у них такая или что? Ты их трахаешь, а они всю дорогу разговаривают, стонут, чуть ли не поют. Невероятно. Здесь у нас ничего подобного не встретишь.

— О господи, Вилли! Ты хочешь сказать... Разве это не опасно для тебя? Я думал, что, если трахаться с русскими, непременно влипнешь в историю. Разве советские не пытаются подловить таких, как ты, с помощью красавиц агентш?

— Все изменилось, Поль. Видишь ли, от нас сейчас ожидают расширения наших контактов. — Хардинг позволил себе понимающе хмыкнуть. — И два раза в неделю я позволяю себе роскошный контакт. Девочка работает в «Новостях» — это такая газета. Она рассказывает мне, что на самом деле происходит.

— О-го-го! Вилли, ты что, вроде шпиона?

— Да что ты, Поль, даже и не шути на эту тему. От нас ожидают общения с нашими советскими коллегами — вот и все. Сегодня Москву не отличишь от любого другого города мира — все в ней открыто. Абсолютно все. Почему бы тебе туда не поехать? Я тебя устрою. Ты им понравишься, с твоим происхождением; ты ведь даже по-русски говоришь. Да что там — ты и вообще почти русский. Тебе, пожалуй, пора познакомиться с твоими славянскими братьями. И сестрами.

Поль заказал еще пару бутылок.

— Нет, Вилли, такую поездку я не могу себе позволить. У меня здесь полно работы, и ответственность, а деловых причин для поездки в Россию я не вижу. В отпуск я бы мог туда поехать, но там, говорят, и есть нечего, а в балет меня не тянет.

— Слушай меня. В Союзе, как везде. Конечно, если ты никого не знаешь, тогда тебе не сладко. Но я тебя познакомлю со всеми нужными людьми. И в Большой театр тебя никто не потащит. Я это дело тоже не люблю. А что касается еды — ее полно, во всяком случае, те, с кем мы общаемся, впроголодь не сидят. Питаются они дома, и у них икры да осетрины навалом. Конечно, кругом говорят, что люди голодают, но кого это колышет. Разговоры об этом уже годы идут, а на улицах пока ни одного умершего от голода я не видел. В Вашингтоне куда хуже — только посмотри на этих несчастных бездомных, спящих на отдушинах канализации у Госдепартамента всю зиму.

Хардинг глотнул пива, и дотронулся до руки Росса.

— Эй, знаешь что? Если хочешь заняться бизнесом, я тебя познакомлю со своим приятелем. Он только что стал во главе нового кооператива в Москве, и очень интересуется СП. Особенно с нами. Ты можешь на этом прилично заработать.

Росс удивился.

— Разве это законно? То есть, я имею в виду, здесь у нас, если пытаешься делать бизнес с помощью политических деятелей, решетки тебе не миновать.

Хардинг засмеялся.

— Не забывай, с кем ты имеешь дело. Никаких проблем. Вот уж два поколения нашей семьи занимается юридической стороной этого дела. Горбачев, понимаешь, хочет, чтобы в Союзе был частный сектор, он людей даже поощряет — развивать этот сектор. Да хрен ли говорить — чуть ли не каждую неделю здесь у нас советские политики втягивают американских бизнесменов в свои сделки. А вот та сделка, на которую мой дружок нацелился, это действительно вещь.

— Ну? И какая же?

— Слушай, Поль, ты ведь знаешь, я человек не деловой. Но сейчас в Москве столько наших бизнесменов, что я поднахватался. В чем трудность в Союзе? В том, что у них нет денег. Я имею в виду — валюты, есть только рубли, а они никому не нужны. Поэтому, каким бы делом ты ни занимался, ты должен сообразить, как тебе на этом деле заработать в настоящей валюте. Мой приятель это знает, и уж он не промахнется.

— Ну, ну, Вилли, продолжай, это становится интересным.

— Ну так вот. Знаешь эти старые русские иконы, что выставлены в витринах у Картье и в других крупных магазинах? Эти старые картинки стоят бешеных денег, особенно те, которые принадлежали царям или их родственникам. Мой приятель сообразил, как можно выменивать эти иконы на основные американские товары. В частности, на мыло.

— Мыло? Ты шутишь.

— Какие уж там шутки. Побывай разок в московском метро — и ты поймешь, что тут не до шуток. А разве ты не читал статью в «Уолл-стрит джорнал» об этом? В Союзе чудовищная нехватка мыла. Вроде бы пятилетка подвела, а некоторые говорят, что здесь все дело в саботаже. Как бы там ни было, мыла нет. Доставишь мыло — станешь миллионером. Мыло продашь кооперативу в обмен на иконы, иконы превратишь в доллары либо здесь, либо в Западной Европе, а потом можно и на пенсию.

— Нет, Вилли, это дело не по мне. Я в русском антиквариате ничего не понимаю. Да и в мыле, собственно говоря, тоже. Конечно, было бы не худо как-то использовать мой русский, но в такое дело я не полезу. Мне будет даже не сообразить, как привезти это вонючее мыло в Россию. А кстати, сколько может стоить контейнер с мылом? А сколько стоит икона?

— Как хочешь, Поль. Однако посмотри на это дело с другой стороны. Нам сейчас представляется уникальный шанс. Мы еще достаточно молоды, чтобы пуститься в бурное море приключений, но, с другой стороны, достаточно зрелые, чтобы здраво обо всем судить. Весь коммунистический мир меняется, а Москва — в центре всего. Ну, как бы тебе сказать, — для Москвы наступает золотое время, такого не было со времен царя. Горбачев войдет в историю как второй Петр Великий. Знаешь, как его называют в ЦРУ? «Ужасно ужасный» — вот как. Если удастся сейчас, так сказать, вскочить на поезд — до конца дней этого не забудешь. Елки-палки, в конце концов, ведь это твой народ, ты говоришь по-русски, чего тебе еще? Да ты и не женат, а девки ни на кого так не бросаются, как на американцев. Поверь уж мне. — Счастливая улыбка и еще один глоток пива. — Понятно, партнером твоим я быть не могу, но помочь провернуть эту операцию я сумею. Ты старый друг, и я буду счастлив помочь тебе сколотить копейку. А кроме того, — Хардинг расхохотался во весь голос, — если ты эту операцию провернешь, я смогу ездить в метро без противогаза.

— Может, съездить туда и посмотреть на месте?

— Вот это молодец! Мой отпуск почти кончается. В начале мая я должен вернуться в Москву. Приезжай сразу после майских праздников, и мы это дело прокрутим. Ты поможешь мне с русской грамматикой, а я покажу тебе Москву. И если ты в самом деле решишься заняться бизнесом в Союзе, тебе совсем не помешает влиятельный друг в цитадели капитализма.

Вернувшись в свою комнату, Росс снял галстук, брюки, сбросил ботинки и уставился на себя в зеркало. На него смотрели пустые глаза и ничего не выражающее лицо. Что бы, думал он, сказала бы бабушка Александра, если бы она узнала, что ее внук-американец собирается заняться торговлей с большевиками? Но ведь большевиков больше нет? Все газеты и телевидение твердят, что холодная война окончилась, что Горбачев изменяет все к лучшему. Русские становятся такими же нормальными людьми, как и мы. Вилли там жил, и это здорово. Все открыто. Что-то как бы сжалось в его промежности, и он подумал: а какие там замечательные женщины. С этой мыслью он и уснул.

К тому времени, когда Росс добрался до Москвы, он понял, что его друг Хардинг сильно недооценил возможности сделать деньги в Советском Союзе. Разговоры с американскими антикварами, будь-то в Чикаго или в Нью-Йорке, показали Россу, какую громадную ценность приобрели сейчас предметы русской старины. Да и не только старины — американцы как безумные покупали советские командирские ремни, часы, водку, икру и даже советские футболки с надписями. Что уж тут говорить про Шагала! Однако спрос резко превышал предложение — в избытке были лишь сделанные под Палех или Мстеру коробочки, туристское

барахло. Если Росс сумеет привезти настоящий антиквариат — что-что, а покупатели-то найдутся. Да и при-
быль, заверили его, будет немалой.

Такой же энтузиазм во всем, что касалось Советского Союза, разделяли и представители американской
торговли вообще. Представитель фирмы, производя-
щей мыло, заверил Росса, что его фирму весьма интересует предлагаемая Россом сделка. Важно, подчеркнул
представитель фирмы, обеспечить твердую гарантию
со стороны русских, а затем обращайся в чикагский
банк — и никаких проблем. Да что там, мыльная фирма и сама готова ссудить Россу деньги на условиях еще
более выгодных!

Вот почему Росс уже не мог не думать о потрясаю-
щих иконах, роскошных женщинах, издающих поэти-
ческие стоны, вжимая в него, Росса, свои неподдающи-
еся описанию формы. Думал он и о том, как вспухнет
его банковский счет в Чикаго. В том, что именно на
него, Росса, должна посыпаться вся эта русская благо-
дать, он усматривал перст судьбы. В конце концов, в
жизни есть своя логика — недаром он учил русский, что
в свое время всем окружающим казалось полной бес-
смыслицей. Недаром его отец настаивал, чтобы он, Росс,
закончил школу бизнеса. Казалось бы, одно с другим не
связано — ан нет! Все получилось одно к одному. Если
бы не его лингвистические и деловые способности, он
не смог бы воспользоваться этим счастливым стечени-
ем обстоятельств. Да и кроме того, не ему ли, внуку русских эмигрантов, доверено судьбой везти на страдаю-
щую родину предков, осознавшую свою историческую
ошибку и сейчас меняющую самую свою сущность, американское мыло? Может быть, грезилось Полю, он смо-
жет увидеть и самого Горбачева.

В Москве все проходило как нельзя лучше. В аэропорту его встретили двое молодых людей и красивая,
пусть не совсем молодая, женщина. Ему не пришлось

стоять в очереди, тащить свои чемоданы, — и вот он уже в гостинице, в которой до периода гласности останавливались лишь номенклатурные работники. Сейчас же в этих царственных хоромах жили важные иностранные гости. Росс принял ванну, и, хотя вода была несколько желтоватого оттенка, зато ее было в изобилии. Махровыми полотенцами хотелось вытираться без конца; и даже мыло было — хотя такого странного куска мыла Росс еще никогда в своей жизни не видал.

После ванны уставший Росс, чувствуя легкое головокружение после длительного перелета, прилег — и разбудил его телефонный звонок.

— Алло?

— Поль, привет. Это Вилли. Приветствую тебя на земле твоих предков. Хорошо, что приехал. Есть хочешь?

— Вилли! Откуда ты? Я не ожидал, что ты так быстро появишься. В комнате было темно, и Росс пытался сориентироваться.

— Я в холле. Ты что же думал, мы дадим тебе бродить по Москве одному? Прямо сейчас мы займемся делом. Тебя уже ждут люди — журналисты, интеллектуалы. Мы поедем к нашему приятелю.

— Я думал, мы сначала встретимся с твоим знакомым-кооператором. Не забывай, это деловая поездка.

— Не беспокойся. Москва — открытый город. Мы поедем все вместе. Так делаются дела в России. Одевайся, а я сейчас подойду.

Росс вышел из лифта и оказался в волшебном вестибюле, поразившем его великолепными хрустальными канделябрами, темно-красными гобеленами на стенах и старинной кожаной мебелью. И тут в его поле зрения попал Вилли, державший под руку двух великолепных блондинок. Вилли таял от восторга, а обе женщины казались только сшедшими со страниц журнала мод: великолепные волосы, темно-синие глаза, чувственный рот.

— Поль Росс. Познакомься с Наташей и Ириной.

Пожимая руки Наташе и Ирине, Росс пытался лихорадочно угадать, с которым из этих поэтических созданий спит Вилли. При виде роскошных бедер обеих блондинок сексуальная фантазия Росса сорвалась начисто с узды.

— Рад видеть тебя, Вилли. Мне здесь у вас очень нравится.

В машине Росс, к его удовольствию, очутился рядом с Ириной, а Наташа села рядом с Вилли на переднем сиденье.

— You speak Russian a little*, — спросила Ирина.

И он, глянув в ее бездонные глаза, выдохнул:

— Yes, — затем, уже по-русски, сказал: — Когда я изучал русский, я думал, что он мне пригодится лишь для чтения старых книг. Я никогда не предполагал, что смогу говорить на этом языке с красивой женщиной в Москве.

И в тот самый момент, как он произносил эти слова, он подумал: как странно — по-английски он никогда бы не смог произнести такую сентенцию в первый день знакомства с женщиной. Да, по-русски, да к тому же еще и с Ириной, это было и легко, и приятно.

Ирина счастливо улыбнулась, придвинулась ближе к нему и сказала:

— Ваши уроки пошли вам впрок. Вилли, ты никогда не говорил, что твой друг такой очаровательный. Я представляла себе толстого капиталиста с сигарой.

Автомобиль Вилли катился по московским улицам, а Росс снова почувствовал, как ему хорошо здесь, в стране своих предков, где женщины еще не превратились в мужчин, где бизнес и удовольствие можно смешивать, и где чувство приключения пронизывает каждый момент твоей жизни.

---

* Вы говорите немного по-русски?

К сожалению, это была единственная сцена, которую он мог потом отчетливо воспроизвести в своей памяти. Остальное все было кусочки, отрывки, впечатления, не связывающиеся в стройную картину. Ярче всего он помнил вечеринки, где были девочки и еще девочки, и где он пел похабные песни на языке, который, как он думал, был лишь языком возвышенной поэзии. Его пребывание в Москве представляло собой цепь бесконечных пьянок — то в одной квартире, то в другой. Он никогда не думал, что может выпить такое количество жидкости — не говоря уж об алкогольных напитках. В остальном же он смутно вспоминал каких-то интеллектуалов, с которыми его знакомил Вилли, но среди этих интеллектуалов каким-то образом оказывались цыганки, с которыми он танцевал и которые выглядели удивительно похожими на евреек. Конечно, он не забыл, что сделка была заключена: он должен был привезти один или два контейнера мыла в Одессу, и как можно быстрее. Однако детали сделки как-то расплывались. Он помнил, например, что говорил с каким-то очень, очевидно, важным человеком, в старомодно выглядевшей гостиной, стены которой были увешаны иконами. Человек тот был чудовищно толстым, волны жира так и выпирали из-под шелковой рубашки, слишком ему тесной. Все, что было на нем — часы, галстук, ботинки, — было западного производства, безумно дорогое, но несколько старомодное. Он помнил еще, что у этого человека был какой-то странный акцент, и по-русски, и по-английски, но он не мог вспомнить ни единого слова из их разговора. Но сделку он заключил именно с ним, и он помнил, что запили они ее армянским коньяком.

С другой стороны, он мог отчетливо вспомнить каждое слово другого разговора, странно смешавшегося в его памяти с первым — возможно, потому, что и этот разговор происходил в комнате, увешанной иконами. Здесь, после того как Хардинг представил Росса как человека, собирающегося «умыть матушку Россию», пожилой человек, его собеседник, вскочил и процитировал громким голосом:

Прощай, немытая Россия,
Страна рабов, страна господ,
И вы, мундиры голубые,
И ты, послушный им народ!

Затем, расхаживая по комнате, этот человек продолжал:

— Разве это не замечательно, дорогие сограждане? Мы всегда думали, что сначала нам придется избавиться от наших голубых мундиров, чтобы вымыть Россию. Наш же американский друг предлагает сделать это наоборот. И знаете что? Возможно, он прав. Кто может поручиться, какой эффект произведет американское мыло на русскую психику? Возможно, это мыло очистит и наши души? В конце концов, обращая наших предков в христианство, их ведь тоже загнали в воды Днепра...

Этот человек был крайне похож на Карла Маркса, — правда, на нем были голубые джинсы, черная кожаная куртка и зеленый свитер. А возможно, это была лишь шутка, интеллектуальная метафора, но в голове Поля эти две сцены полностью слились — почему-то это вызывало у него тревогу. Казалось бы, простая, понятная сделка превратилась в духовную миссию — к чему он отнюдь не готов. Ему все-таки надо будет связаться с Москвой и все это дело выяснить.

К тому времени, когда он вернулся в Чикаго, Росс вновь обрел способность переваривать твердую пищу, ходить, не вздрагивая от головной боли, и внятно выговаривать слова. В Чикаго он приобрел на некоторое время популярность, его приглашали на вечеринки, где собирались интеллектуалы и где обсуждалось будущее человечества. Он даже выступил по местному телевидению... Вскоре, впрочем, он прекратил все это, ибо понял, что говорить-то ему, в сущности, и не о чем — связанных воспоминаний было немного.

Дело, однако, продвигалось. Фирма, производящая мыло, с представителем которой Росс уже раньше говорил, продолжала проявлять интерес. Вице-президент даже заявил ему:

— Более гениальной идеи никому в голову и не приходило. Только подумать — превратить мыло в сокровища искусства! Если вам это удастся, мистер Росс, мы сделаем вас не только богатым — мы сделаем вас знаменитым!

Я не хочу быть знаменитым, думал Росс, но богатство — рукой подать, не так ли? Занять деньги в Первом Национальном банке Чикаго оказалось тоже очень просто. Это был тот самый банк, который приобрел легкую скандальную известность, одолжив деньги Советскому Союзу под более низкий процент, чем своим собственным фермерам. Росс побаивался, что они, обжёгшись раз, не захотят больше иметь дело с Советским Союзом, — но он жестоко ошибся.

— Это замечательно! — заявил ему начальник международного отдела банка. — Вас просто провидение к нам послало.

— То есть?

— Ну, вы же знаете, сколько дерьма на нас вылили из-за этой сделки с Советским Союзом. А вот мы поможем соотечественнику разбогатеть.

— Отлично. Что я должен сделать?

— Первым делом предоставьте мне гарантию от этого вашего московского деятеля, что когда вы доставите мыло, он поставит вам определенное количество антиквариата на определенную сумму и обеспечит доставку этого антиквариата на Запад. А уже на Западе вы сможете превратить антиквариат в деньги.

— Хорошо. Я думаю, это будет не очень сложно.

— А как выглядит этот антиквариат? Что-нибудь необычное или те же самые вещи, которые мы видим здесь на выставках?

Вот этого-то я и не знаю, грустно подумал Росс, а знать это я должен. Вместо этого я знаю много — и даже слишком — о русских блондинках, рыжих, а также и о водке.

— Часть антиквариата просто великолепна. Не думаю, что вам приходилось видеть что-нибудь подобное. Впрочем, вам, наверное, и не придется его видеть. Скорее всего, я продам это на аукционах в Париже или в Лондоне, может, в Женеве. Конечно, можно будет сделать это и в Нью-Йорке, но на европейских аукционах антиквариат продается дороже, чем в Америке.

Глава 2

ЗАГАДОЧНЫЙ ГРУЗ

Мудраков и менталитет

Председатель КГБ Мудраков был этим утром, как всегда, свеж, бодр и хорошо одет. До начала рабочего дня оставалось несколько минут. Как всегда, он провел их перед зеркалом, примощенным в кабинете так, чтоб не слишком бросалось в глаза, но и, будучи замеченным, не производило впечатления чего-то скрываемого.

Из зеркала на него смотрел средних лет мужчина со значительным подбородком, в безупречном костюме и скромном галстуке, к каковому галстуку не придрался бы ни один из коллег по Политбюро даже под влиянием изжоги.

Он вернулся за стол и откинулся в пружинящем кресле. Оставшиеся пятьдесят минут он старался расслабить мышцы затылка и шеи. Потом выпрямился, и в тот же миг вошел Павлик и доложил, что персональный референт дожидается с докладом. Мудраков кивнул, и в кабинет вплыла Валя Бирюкова, которую все посвященные называли между собой Пиковой Дамой. Эти ресницы в сочетании со стрелочками на чулках могли бы отвлечь от работы кого угодно. Но Мудраков давно уже не интересовался женщинами, и с Валей у них установились идеальные отношения. Она называла его на «вы», не пытаясь сократить дистанцию, была послушна, толкова, а внешне производила впечатление необъезженной лошадки. Он говорил ей «ты» и «Валечка», дарил умеренно духи и шоколадки и полностью доверял. После расформирования Третьего главка КГБ (контроль Советской Армии) Вале, в сущности, некуда было идти. Если б не Мудраков со своими идеями насчет подбора кадров, ей пришлось бы начинать карьеру чуть не сызнова. Оба они хорошо это знали, хотя никогда не упоминали в разговоре.

— Товарищ генерал, перехвачен материал дипломатической почты США, не поддающийся расшифровке. Некто Росс везет в СССР непонятный груз под кодовым названием «Мыло». В Москве на это работает сотрудник посольства США Хардинг. Я проверяла обоих по нашему компьютеру. Информации о Хардинге на удивление мало. Как будто, кроме должности, у него ничего нет за душой. Информация о Россе содержит только дату и место рождения. Зато этих дат и мест четыре.

— Так американцы могут скрывать только своих суперагентов. Если, конечно, не ошибка в программировании, — заключил Мудраков.

— Вот я и подумала, товарищ генерал, что это дело не стоит оставлять на усмотрение таможни. В одном из писем Росс спрашивает Хардинга в шутливом тоне, как повлияет «Мыло» на русский менталитет.

— Менталитет?

— Наш отдел информации составил отчет по спектру значений этого слова.

Бирюкова положила на стол пухлую папку.

— Черт бы побрал этот язык! Покороче, Валя: главный смысл слова все знают, а вот каков диапазон?

— От национальных особенностей характера до психологических заболеваний.

— Консультанта по психологии ко мне.

— Товарищ Кунц уже ждет в приемной.

— Введите.

Пожилой человек с академическими сединами, лауреат многих государственных премий, ас психологической экспертизы в отношении государственных преступников, поздоровался почтительно, но без особого трепета.

— Товарищ Кунц, что вы можете доложить мне о возможностях влияния на менталитет?

— Вверенная под мое руководство спецлаборатория занимается этой проблемой уже два года. Отчет о проделанной работе в восьми томах может быть представлен вам через месяц. Смету расходов на более подробные изыскания могу представить завтра. Мощностей нам не хватает, товарищ генерал. Институт бы нам!

— Что же вы выяснили за эти два года, изложите в своих словах.

— Влияние на менталитет делится на контактное и бесконтактное. По контактному влиянию работы проводились давно. Наилучших результатов в прошлом добились: испанская инквизиция, потом... ну, немцы, словом, однако, довели это до совершенства наши отечественные специалисты. С бесконтактным влиянием дело обстоит значительно сложнее. Теоретические изыскания дают основания предположить, что бесконтактное воздействие может быть значительно более сильным, а главное — долговременным.

— Объясните подробнее.

— Наиболее исследованным примером может служить гипноз. Затем — экстрасенсы с их методами. Некоторые люди, их очень мало, могут внушать другим людям что угодно и контролировать их поведение. Не исключена возможность создания аппаратуры, усиливающей такие способности. С ее помощью обычный человек смог бы подчинить себе большие группы лиц. Для разработки такой аппаратуры нам бы понадобились дополнительные ассигнования и расширение штатов. В успехе работы в течение пяти-шести лет я уверен.

— И как бы это выглядело в конечном счете?

— Нечто вроде шлема, соединенного с блоком питания. Человек на себя его надевает и приказывает другим, что считает нужным. А те под влиянием многократно усиленного биополя выполняют. Более подробно могу доложить через неделю со сметой расходов.

— Идите, Кунц. Через трое суток вас вызовут. Чтобы все было готово. И — полная секретность.

Оставшись наедине с Валей, Мудраков заходил по кабинету.

— Что, Валя, похоже это на мыло? Или таки обогнали нас гады американцы?

— Копировать дешевле, чем разрабатывать, товарищ генерал. Если товар сам идет в руки...

— Чтоб, кроме нас с тобой, об этом разговоре никто не знал. Кунца, как доклад принесет, — в спецобработку. Но ненадолго, суток на двое максимум, чтоб шума не было. Дополнения к докладу пусть пишет своей рукой. А потом в автокатастрофу — аккуратненько только, чтобы без накладок.

Подготовь мне тем временем доклад в Политбюро. Чтоб помудреннее было. О том, что Кунц говорил, ни слова.

Валя уплыла исполнять, а Мудраков сделал вольт в кресле и уставился на воробышка, прыгавшего по заоконной ветке. Шефы КГБ в последние годы менялись часто. Не все из них уходили в отставку по своей воле. Предшественник Мудракова внезапно скончался от разрыва сердца. Разрыв этот был настолько очевиден, что даже вскрытия не делали. Зная все это, Мудраков давно уже подумывал, как взять тяжкие бразды правления в свои руки. Если не КГБ — то кто же выведет страну из кризиса?

Академик Кунц весь остаток дня был не в духе. Он был почти уверен, что теперь-то уж ассигнования на исследования пойдут щедрым потоком. Как составить доклад, чтоб выглядело и солидно, и перспективно, — он знал, как никто другой в Академии. Как отчитываться по результатам лет через пять-шесть — он не волновался. Шефы КГБ в последние годы менялись часто. И не все из них уходили в отставку по своей воле.

Совещания Политбюро в последнее время проводились в кремлевском бункере. Во избежание эксцессов. Внутренность зала для совещаний ничем не отличалась от обычной. Были даже сборчатые шторы фестончиками, прикрывавшие несуществующие окна. На стене — мозаичное изображение Ленина на броневике. Кресла — достаточно удобные для сидения и недостаточно уютные, чтобы задремать. Словом, все было привычно.

Слушали доклад председателя КГБ. Дольше обычного говорил сегодня Мудраков. Усыпляюще как-то.

— В заключение хочу сказать, что наши доблестные чекисты, как всегда, на высоте. Небольшой пример их отличной работы. Недавно мы перехватили частное письмо некоего американца Росса к его якобы другу, сотруднику посольства США в Москве Хардингу. Совсем незначительная фраза в нем «Как повлияет мыло на русский менталитет» привлекла внимание. Анализ показал, что мы были правы. Росс, как выяснилось, крупный агент ЦРУ. Он сейчас по морю везет в Одессу спецгруз под кодовым названием «Мыло». Его там скоро встретят и вместе с грузом в сопровождении сотрудников Комитета доставят в Москву.

— Мы все знаем, как много работают органы госбезопасности, — заговорил с места министр внутренних дел Ванин. — Стоит ли их перегружать? С этим и таможня разобраться может. Я пошлю своего заместителя, он проконтролирует операцию.

— Ну что вы, товарищ Ванин, — небрежно ответил Мудраков, — это рядовая операция. Мои ребята сами справятся.

— А что такое менталитет? — спросил второй секретарь ЦК КПСС. В отсутствие Генерального секретаря, который по совместительству был еще президентом страны, он исполнял его обязанности.

Стоявший за его спиной референт подал голос:

— Разрешите позвонить консультанту?

— Звони.

Референт ушел в угол кабинета и взялся за телефон. Второй секретарь сказал не без наслаждения:

— Вопрос о том, кому проводить упомянутую операцию, мы пока отложим. Послушаем консультанта, а тогда и решим. А пока заслушаем министра финансов.

— Финансовое положение в стране за последний месяц можно считать вполне удовлетворительным. Ухудшения происходят даже медленнее, чем мы предполагали. Курс рубля по отношению к доллару за отчетный период упал всего на восемь процентов. Американский доллар сейчас на черном рынке стоит сто двадцать рублей. С бумагой, правда, имеются некоторые проблемы. Которые, впрочем, можно уладить, если мы начнем печатать купюры по десять тысяч рублей.

Тут вернулся бесшумный референт, и министр финансов умолк.

— Второй консультант по проблемам менталитета находится на телефонной связи.

— А почему не первый? — поднял бровь второй секретарь ЦК КПСС.

— Первый консультант вчера погиб в автомобильной катастрофе, произошедшей через пятнадцать минут после того, как он отбыл из здания КГБ, где давал консультацию в течение двух суток.

Второй секретарь продлил молчание, на сколько захотел. За это время Мудраков успел мысленно отправить шустрого референта на спецобработку с указанием, чтоб тот не умер до особого распоряжения. Наконец второй заговорил:

— Давайте, товарищи, поручим проведение операции «Мыло» министру обороны. Контейнер с грузом да этого агента заодно пускай доставят на внеочередное заседание Политбюро, а мы уж тут все вместе разберемся, что к чему. В теплой и дружественной обстановке. Есть возражения?

Возражений ни у кого не нашлось, и все приступили к обсуждению печатания десятитысячных купюр.

— Разрешите войти?

— Ну, войди.

Моложавый полковник лихо щелкнул каблуками и доложил:

— Товарищ генерал-полковник, полковник Зубров по вашему приказанию прибыл!

Командующий Одесским военным округом Гусев опустил на плечи щегольского полковника тяжелый взгляд.

— Гопака плясать умеешь?

— Не пробовал.

— А если попробовать?

— Сумею! — уверенно рубанул полковник.

— Сумею! — передразнил генерал. Рапорта о переводе писал?

— Писал.

— Много?

— Много.

— Не успел в должности утвердиться, а уж рапортов написал больше, чем Высоцкий — песен. Тебе, полковник, по возрасту еще майором бы трубить, а ты уж начальник разведки Одесского военного округа. На генеральском месте сидишь. Скоро генералом станешь, штаны полосатые получишь. Я уж представление написал. Не сидится?

— Не сидится, товарищ генерал-полковник.

— Вроде я тебя не обижаю. Ценю. Выдвигаю...

— Не по мне работа кабинетная. В дело хочется. Разведчик я. Всю жизнь в деле провел.

— А генеральские штаны тебя не прельщают?

— Прельщают. Да только в деле бы, товарищ генерал-полковник! Чтобы с риском смертельным. Засиделся я.

— В дело ему хочется! — проворчал генерал. — А мне, думаешь, тут киснуть охота! Я сам боец. Весь Афган истоптал. Да только кому-то и по штабам сидеть надо! И сидим. И рапортов не пишем. А если и пишем, то не столько... как некоторые полковники. Эх, ты. Писатель. Менделеев. Герой. Павлик Морозов. Будет нам скоро всем дело! Развалили страну. Докатились. Доигрались. Достукались. В общем, так. Тебе, полковник — ответственная правительственная задача. Формируй из спецназов сводный батальон. Рыл двести-триста. Выбирай сам. Вооружай как знаешь. Боеприпасов бери вволю и в пути не жалей. Приказано: получить в порту секретный груз особой важности и доставить его в Москву. Там вас встретят прямо от Политбюро. На подготовку тебе три дня. Любую помощь — окажу. Все, что попросишь, — дам. Все управления штаба округа — в твоем распоряжении. У начтопа получи карт вдоволь. В восьмом отделе завтра получишь «охранную грамоту» и пропуска с подписями членов Политбюро. Правда, не на всей территории эти подписи признают теперь. Так что будешь прорываться.

— Прорвусь.

— А родом ты, полковник, из-под Смоленска?

— Так точно.

— Деревенька твоя на берегу Днепра, рядом с артиллерийским полигоном?

— Ага, — с некоторым удивлением подтвердил полковник.

— Так вот. Могут твою деревеньку артиллерийским огнем придавить. По ошибке. Если груз не доставишь. И мою деревеньку тоже. Я из-под Калуги, там у меня вся родня. А за выполнение боевой задачи нам ничего не обещают. Но не выполнишь — я тебя, полковник, на орудийном стволе повешу. Если ты до того момента сохранишься. А твоих гавриков всех на мыло переведу, на дефицит! Да что ты все зубы скалишь?! Рад, что из кабинета вырвался? Рад, что в дело идешь?

— Рад.

— Очень?

— Очень.

— Ну так пляши гопака, сучий сын!

Где бы ни появился Чирва-Козырь на своей машине, везде внимание ей уделяли. Обступят, смотрят, трогают. Было на что посмотреть. Машина крепко стояла на шести толстых ребристых колесах: по три с каждого борта непрерывным рядом. Чувствовалась мощь в коротком низком корпусе, и виделось, как машина эта необычная так и несется по непролазной грязи да трясине, и думалось, что и плавать такая красавица умеет: уж очень корпус ее на лодку похож, на короткую, широкую, плоскую лодку человек на пять. Каждый старался название той машины отгадать. Но не угадал никто. А водитель той машины — Чирва-Козырь в голубом выгоревшем десантном берете — гордо молчал, на вопросы публики не отвечая. Не положено солдату на вопросы всяких там отвечать. А машина называлась ГАЗ-166. На вооружение десантных войск и подразделений спецназа была принята она лет пять назад, но считалась секретной, и мало кто ее видел. Теперь же такие пошли времена, что прятать стало незачем, и появились многие секретные типы боевых машин на улицах городов да на полевых дорогах. Вот и Чирва-Козырь сидит за рулем своего ГАЗ-166, молчит, ждет. Кого ждет, чего ждет, знать никому не положено. А ждет он командира своего, полковника Зуброва, которого привез в штаб округа. Тикают минутки, нет полковника. Сидит Чирва-Козырь, времени не теряет, на бабенок поглядывает. Хороши, ух хороши бабеночки в Одессе. Так и прут, так и прут. Не дают Чирве-Козырю покоя. Сидит Чирва гордо, виду не подает и вслед не смотрит. Упаси бог. Но горит душа солдатика и рвется. Ах, рвется, и нет счастья другого в жизни, а дорваться бы, ох, дорваться бы! Ух, вон какая плывет...

— Меня не жди.

Встрепенулся Чирва-Козырь, командир рядом стоит. Чирва и не заметил, как тот появился. Но полковник Зубров не заметил отсутствия внимания у своего водителя. Не тем Зубров сейчас занят.

— Так что не жди меня, — повторил Зубров, — я пройдусь, помозговать надо.

— Есть не ждать, — рявкнул Чирва-Козырь. Взревел двигатель, сизым дымом выдохнул, качнулся ГАЗ-166 пружинисто и покатил, задрав хищную мордочку, увлекая за собой взгляды прохожих.

Полковник Зубров остался один. Было о чем помозговать.

Глава 3

УКРОЩЕНИЕ СТРОПТИВЫХ

Все в Одессе в одну душу уверяли, что на улицах сейчас быть опасно. Ходили слухи, что патрули озверели и палят в кого попало даже днем. Что власти мылятся драпать. Что КГБ напоследок уничтожает не только архивы, но и людей по спискам — а стало быть, по домам сидеть тоже опасно.

— Если на улице такие страсти и такие страсти дома, так я себе сяду на трамвай! — философствовал волосатенький старикашка к полному удовольствию всего вагона.

Зуброву ехать было три остановки. Лучший способ сосредоточиться — это рассеяться перед рывком. Потому он и выбрал трамвай, хотя на машине было бы быстрее. Тут было тесно и весело. Могучая дама с сокрушительным бюстом на каждом повороте обрушивалась на Зуброва, приговаривая:

— Юноша, я извиняюсь! Но это же не водитель, а кошмар. Не говоря уже за то, что мне таки подавили все помидоры, и я их держу, чтобы на вас не капать.

На передней площадке обсуждали, не исчезнет ли холерный вибрион из гавани, если коммунисты покинут город:

— Холера к холере тянется!

Сзади пацаны приспособляли старые частушки к новым обстоятельствам:

> Как на Дерибасовской,
> Угол Ришельевской,
> В полшестого вечера не было воды.
> А старушке бабушке...

Какую участь юные хулиганы готовились зарифмовать старушке бабушке – осталось неизвестным.

— Поете, дети греха? Народ нечестивый, народ, обременённый беззакониями, племя злодеев, сыны погибельные!

Это кричал, пробираясь к передней площадке, иссушенный, весь внутрь себя втянутый оборванец в детской панамке.

— Миша! Мишу пропустите! — загомонил вагон.

Миша-пророк был самым знаменитым городским сумасшедшим, личностью даже более выдающейся, чем старуха с чёрной курицей. Про него рассказывали, что Миша как припечатает — так потом с судьбой и не спорь. Ещё председатель горсовета Синица как-то имел несчастье обратить на себя его внимание. Миша спокойно переходил через дорогу, как всегда, игнорируя светофоры, машины и прочую суету. Тут-то чёрная «Волга» градоначальника чуть не сбила Мишу, чем отвлекла его от размышлений. Миша поднял руку вслед удаляющейся «Волге» и проклял. Через неделю Синица был снят с должности, и вскоре пошёл под суд за квартирные махинации. Более всего впечатляло то, что никто из его преемников долго не продержался и тюрьмы не миновал.

Зубров, разумеется, ничего этого не знал. Но и на него произвело впечатление, как шёл Миша по переполненному вагону. Ему не приходилось укорачивать шаги.

— Земля ваша опустошена; города ваши сожжены огнём; поля ваши в ваших глазах съедают чужие...

Так он дошёл до Зуброва и тут вдруг остановился и уставил на полковника корявый палец с расщепленным ногтем:

— Ты! Слушай, нечестивец! Ибо ярмо, тяготившее его, и жезл, поражавший его, и трость притеснителя его — кто сокрушит? В руки твои предает Господь сей сосуд скверны!

Зубров сделал попытку попятиться. Но он не пользовался Мишиными привилегиями, и только впечатал лопатки в тех, кто был спрессован сзади. На него пахнуло чесноком и заношенными лохмотьями. Миша прошел вперед, не обращая на него внимания.

И Зубров даже не понял, почему пассажиры, сомкнувшись за Мишей, молча разглядывали его, Зуброва, до самой его остановки.

— Капитан Драч!
— Я!
— Ну-ка зайди.
— Товарищ полковник, капитан Драч по вашему...
— Садись, — перебил Зубров.

Сел капитан на краешек. Давным-давно два молоденьких лейтенанта Драч и Зубров прибыли в чудесный городок Черкассы начинать свою службу. Много воды в реке Днепр с тех пор утекло.

С первого дня понесло Драча карьерной волной выше и выше. Через полгода он уж ротой глубинной разведки командовал, через год ему досрочно присвоили старшего лейтенанта, а еще через год — тоже досрочно — капитана. А лейтенант Зубров так и тянул лямку командира группы глубинной разведки. Разнесла их судьба по разным уголкам страны и свела через пять лет: оба капитаны. И снова развела, и снова свела. Вот и сидят они рядом — полковник (на генеральской должности) Зубров и капитан (все еще на капитанской должности) Драч. Таких капитанов в Советской Армии называют в соответствии с Жюль Верном — пятнадцатилетними капитанами. Знал Драч, что скоро старый его приятель Витя Зубров наденет полосатые генеральские штаны, знал, что, еще и не надев таких штанов, Зубров имеет все генеральские права и привилегии, и потому давно уж между ними пролегла та невидимая грань, по одну сторону которой: давным-давно два молоденьких лейтенанта... а по другую — командир и подчиненный. Но сегодня Зубров не приказал бывшему своему ротному командиру, а скорее предлагал.

— Дела такие: приказали мне возглавить особый батальон и выполнить ответственную правительственную задачу.

Драч промолчал, намек рикошетом от его ушей отскочил. Тогда Зубров подступил ближе с предложением.

— Нужен мне в батальон толковый хозяйственный мужик на должность моего заместителя по тылу. Нужен мне такой, которого я бы долго знал и полностью доверял. Не знаешь ли кого, кто на должность сгодился бы?

Долго думал Драч, потом пожал плечами: нет, такого кандидата он не знает. Понимал Зубров, что ни уговорами, ни обещаниями тут не возьмешь. Можно, конечно, приказать... Но это была не та ситуация.

— Ладно, капитан. Я понимаю. Служба тебя не баловала и надоела давно. Насиловать не буду. Иди.

Встал капитан Драч, щелкнул каблуками и вышел...

— Стой, — кричит Зубров. — Стой. Мы ж с тобой не попрощались. Ты тут останешься, а меня черти понесут неизвестно куда. Не знаю, встретимся ли еще. Давай, Ваня, обнимемся. Вот так. Мы ж с тобой сколько вместе протопали. Помнишь, Ваня, как мы с тобой президентский дворец на штык взяли?

— Помню, товарищ полковник.

— Ты, да я, да группа спецназа.

— А ведь и вправду без выстрелов обошлось. Взяли на штык.

— Историю с тобой, Ваня творили, правда, она, зараза, имен наших не упомянула.

— Мы свое сделали и на историю не в обиде. Может, и хорошо, что история наших имен не упомянула, — дело-то не совсем чистым было.

— Не совсем, Ваня, не совсем. Ну, прощай, пора мне.

— Снова историю творить, товарищ полковник?

— Не знаю, может быть. Надеюсь, на этот раз история будет не такой грязной.

— Товарищ полковник, ну так возьмите меня с собой.

— Заместителем по тылу?

— Именно так.

— По рукам, Ваня?

— По рукам, товарищ полковник!

— Ну вот. Теперь нас в особом батальоне спецназа двое стало.

— Где остальных брать будем?

— Не знаю пока. В нашей бригаде спецназа более тысячи головорезов. Есть молодые совсем. Не особенно опытны, но совершенно послушны. Есть середнячки — опытны и послушны, и есть дембеля — очень опытны и совершенно непослушны.

— Возьмем дембелей, товарищ полковник.

— Риск.

— Рискнем.

«Дембель неизбежен, как крушение капитализма!» — вывела на стене 13-й роты чья-то дерзкая рука древний, но не столь бесспорный по нынешним временам лозунг.

7-я бригада спецназа в своем составе имела пять рот с названиями, но без номеров и двенадцать рот (объединенных в четыре батальона) с номерами, но без названий. В периоды демобилизации появлялась временно еще одна номерная рота — 13-я. В нее со всей бригады собирали солдат и сержантов, уже почти отслуживших свое, дабы видом своим, словами и деяниями не портили общего фона. По количеству личного состава 13-я была больше любого батальона, но как боевая сила представляла собою ноль и даже величину отрицательную. Как только появлялась в бригаде 13-я рота, то управлять бригадой становилось куда труднее. 13-я рота оказывала влияние на все остальные роты и батальоны точно такое же, как Чернобыльская атомная электростанция на окружающую среду. Держали дембелей в 13-

й последние дни перед приказом министра обороны. А вот после разгона их по домам, преображалась 13-я рота. Принимала она в свои стены человек триста новобранцев и честно выжимала из них пот, кровь и слезы. И гремели песни боевые под ее сводами, и трепетала земля под грохотом ее кованых сапог, и сияли сортиры, зубными щетками первогодок вычищенные. Стреляли новобрашки первый раз из своего оружия, приводили их к присяге на верность отечеству, распределяли по боевым подразделениям, и 13-я рота временно исчезала до того момента, пока не приходила пора вновь собирать со всей бригады почти отслуживших и изолировать их от остальных.

Время такое приспело, и 13-я рота вновь наполнилась шумом трехсот парней, убивающих время в ожидании неизбежного и теперь уже столь близкого дембеля. И писали они лозунги предерзкие. Те самые лозунги, которые когда-то будучи первогодками, стирали со стен после ухода предыдущих поколений.

Совсем небезопасно ходить под окнами 13-й роты. Из окон той казармы пустые водочные бутылки так и вылетают, причем имеют обыкновение вылетать в тот самый момент и в том направлении, в котором появляется неосторожный путник. Обнесена 13-я рота проволоками колючими и охраняется вооруженным караулом. Жаль только, проволоку регулярно режут, а вооруженный караул под напором дембелей часто отходит подальше от греха, отдавая дембелям их святое право общаться с внешним миром. И звенят песни матерные из тех окон, и баб туда таскают на всю ночь, да и на весь день, и выходят из 13-й роты ночами добры молодцы схватиться в кулачном бою со всяким, кто на пути попадется.

Даже и офицеру вдоль окон 13-й роты ходить несподручно. По старой традиции проходящим мимо офицерам неизменно в окно задницу показывают. Не просто задницу в штанах, а оголенную. И не просто оголенную, как на буржуазном Западе из проходящего автомобиля; тут показывают задницу со специфическим, только ей присущим звуком. Можно было бы, конечно, офицеру зайти в 13-ю роту да найти шутника и покарать его примерно. Но как найти-то? Построить триста человек, приказать оголить задницы и искать именно ту, которая оскорбила видом своим омерзительным и звуком надменным?

Так вот, офицеры старались мимо окон 13-й роты без особой нужды не прогуливаться. А если уж нужда припечет, то старались околесить ту проклятую роту большим крюком.

А внутри 13-й веселье. Тут пьют и курят злые табаки. Тут режутся в карты, проигрывая свое и чужое, тут ножи летают вдоль прохода, врезаясь во все, во что можно. Иногда и лопаты летают. Случается — и топоры. И визг девок, неизвестно как миновавших высокие стены и проволочные заборы. А к телесному греху 13-я рота зело слаба.

Среди визга и хохота в дыму табачном на специально для него изготовленной кровати (на стандартной не умещался) — огромный человечище, каких редко-редко производит природа на удивление остальному человечеству. Над его кроватью табличка, снятая со штабного сейфа: «НЕ КАНТОВАТЬ! ПРИ ПОЖАРЕ ВЫНОСИТЬ В ПЕРВУЮ ОЧЕРЕДЬ». Вокруг него толпа друзей и почитателей. Звенит над ним хор вопросов: «А знаешь, Салымон?», «А не забыл, Салымон, как мы тогда в Болгарии?», «А помнишь, Салымон, той ночью?»

Все помнит, все знает Салымон. Весел. Улыбка на лице, испохабленном шрамом на всю щеку.

— А если, Салымон, ротный сейчас появится?

— Да я его через хрен переброшу!

Покатилась 13-я рота смехом.

— А если, Салымон, командир бригады вдруг появится?

— Да я ему так двину меж рогов, по проходу лететь будет, все табуретки на уши намотает!

И вновь смех ему ответом.

— А если, Салымон, вдруг сам Зубров появится?

— А что мне Зубров? Что ж я, Зуброва испугаюсь? Понятно, что к Зуброву особое отношение. Я ему очень вежливо скажу: я вам прошу оставить мою хазу...

Уже завершая фразу, почувствовал Салымон, что смеха в ответ не будет. И не договорил Салымон в разом затихшей казарме. Повернулся, соображая причину внезапной тишины...

И напоролся Салымон на взгляд.

Совсем рядом, кто знает, как сюда попавший, стоял в проходе полковник Зубров, бывший командир 1-го батальона, где Салымон службу начинал, затем командир 7-й бригады спецназа, а теперь уже — начальник разведки всего Одесского военного округа.

Покорял Зубров всех и всегда. Покорял уже тем, что в любой ситуации у него сапоги сияли. Грязь к ним вроде и не липла. В любой обстановке, на самом грязном полигоне мира, на Широколановском, например, где пехота веками глину месила, утопая в ней, сапоги его все равно переливались серебряным блеском. Никто не знал секрета сапог его: то ли по воздуху он летал, то ли щетку всегда с собой носил и уделял сапогом все время, оставаясь один.

А еще удивлял Зубров многими шутками. Улыбкою своею дьявольской, к примеру. Никто никогда в унынии его не застал. Ослепительная усмешка его была известна всему городу, как и всем городам, по которым его служба носила. Вот и сейчас стоял он и улыбался насмешливо и весело, и толпы, готовой озвереть, совсем не боялся, и потому за спиной его уже полностью непокорные дембеля украдкой складки на одежде поправляли, ремни незаметно подтягивали. А девки срамные, вроде почувствовав некую силу, упорхнули все разом, да так, что найти их было совсем уж непросто.

...Непонятно было Салымону, откуда у этого дьявола в полированных сапогах храбрости взялось появиться в 13-й роте. Откуда сила его исходит, которая сразу придавила своеволие внезапно притихшей толпы. Ну если б с автоматом в руках появился, то понятно, а то ведь без автомата, без охраны. И, видимо, именно отсутствие оружия и охраны, именно эта улыбка беззаботная и прижимала волю остальных, заставляя умолкнуть всех разом. Полежал Салымон еще совсем недолго и, ссутулившись слегка, нашел нужным встать, переваливаясь с ноги на ногу, соображая, как бы шутку свою нейтрализовать. Посмотрел на ладони свои, на носки сапог, почесал в затылке и поинтересовался:

— Я, товарищ полковник, надеюсь, не обидел вас?

— Успокойся, Салымон, не обидел. Обижаются только слабые люди. На обиженных хрен кладут и воду возят. Ты ж меня, надеюсь, к слабым не причисляешь? Да ты ложись, ложись. Чего встал?

— Нет, товарищ полковник, я не лягу. И ответом вашим не удовлетворен. Как же получается: я шутку в ваш адрес отмочил, и мне за это ничего не будет?

— Совершенно ничего. Что с тебя взять? Ты свое отслужил.

Разобрало Салымона любопытство. Нет. Не тот человек Зубров, чтоб так вот взять и простить оскорбление.

— Так, говорите, ничего мне не будет?

— Это с какого конца посмотреть. Если ты, Салымон, себя окончательным дембелем считаешь, то я тебе документы хоть сейчас выпишу. До приказа министра обороны еще тридцать дней осталось, а я могу своей властью через госпиталь тебя провести, документы оформить и отпустить домой через пару часов. Ну, а если ты себя еще солдатом считаешь, то наказание тебя ждет ужасное...

Совсем тихо в казарме стало.

— Собираю я хороших ребят в настоящее дело, а тебя не возьму.

Салымон от обиды аж присел.

— Как не возьмете? Меня? Не возьмете?

— Не возьму.

Задышал Салымон, слов нужных не находя.

— Всех возьмете, а меня, Салымона, не возьмете?

— Всех возьму, а ты тут останешься.

— Да права у вас такого нет! — врезал Салымон, наперед зная, что право у него такое есть, и, понимая обреченность свою, обратился к друзьям и почитателям: — Да что же это происходит? Беззаконие! Никакой защиты от командирского произвола!

Но поддержки Салымон не находил. Вроде сочувствовали ему, но и понимали, что Салымон командира оскорбил, пусть даже не догадываясь о его присутствии, и потому должен Салымон платить позором, который хуже смерти.

— Товарищ полковник, — взмолился Салымон, — да вы ж помните, как мы с вами на турецкой границе...

— Помню.

— И не возьмете?

— И не возьму.

— А чем мне искупиться можно? Сквозь строй пойду под двести шомполов.

— Я б тебя взял, Салымон, но какой из тебя солдат? Уж разжирел. Уж и точности в твоей руке нет.

— Это в моей-то?

— В твоей.

— А я докажу.

— Докажи.

— А ну лопату мне!

Кто-то загремел по проходу и через миг положил перед Салымоном охапку малых пехотных лопат, которые среди людей штатских ошибочно называются саперными.

— Куда врезать, товарищ полковник?

...Окинул Зубров казарму взглядом. Вроде и цели подходящей нет. Все изрезано, изрублено, топорами и лопатами разбито.

— А вон туда.

Затихли совсем дембеля. Расступились от мишени указанной. И не знают, шутит Зубров или политическую бдительность проверяет.

— Вон туда, — повторил Зубров, указывая на единственно подходящую и никем не тронутую мишень — на красный щит с портретами двенадцати вождей.

Покрутил Салымон лопату в руках, примеряясь, поглядывая искоса на Зуброва: серьезно тот приказал или разыгрывает. Но Зубров уж от Салымона отвернулся и на красную доску взирает. Пожал Салымон плечами, вроде как извиняясь и говоря: ну как знаете, и врубил первую лопатку в портрет лысого вождя.

— Славненько, — похвалил Зубров. — А ну еще.

И пошел Салымон лопаты метать, уж не теряя времени. Далеко метал. Не каждый туда и добросит. Пару раз промахнулся, но тут же другой лопатой добавлял. Метнул штук пятнадцать, искрошил всех вождей.

— Славненько, славненько. Есть еще порох в пороховницах. Обещать ничего не обещаю. Но посмотрю. Испытательный срок тебе три дня, из всех дембелей 13-й роты формируй новый батальон. Народу хватит. Нехватку добавим за счет головорезов-профессионалов штабной роты и хороших ребят со всей бригады. Новый батальон будет иметь особую организацию: управление и штаб, рот никаких не будет. В батальоне девять взводов по двадцать человек каждый и подразделения обеспечения: связь, саперы, водители, ремонтники, кухня и прочее. Приказом министра обороны батальон номера не получает, а именуется названием «Золотой». В батальон отбирай самых сильных и надежных ребят.

Глянул Зубров на Салымона, отчего тот вытянулся и щелкнул каблуками, и за ним все вроде вытянулись без всякой на то команды.

— Рядовой Салымон!

— Я!

— Временно назначаю вас старшиной Золотого батальона спецназа с присвоением звания младший сержант и подчинением вам всего рядового и младшего командного состава батальона!

— Служ... Сов... Союзу! — рявкнул Салымон.

— Младший сержант Салымон! Готовьте батальон к походу и бою!

— Есть готовить батальон к походу и бою!

— Курс молодого бойца не забыл?

— Как можно!

— Вот преподай нашим ребятам курс молодого бойца, а то заскучали.

— Когда начинать?

— Сейчас.

Глава 4

ДЕЛА МОСКОВСКИЕ

Алихан Ибрагимович Хусейнов ехал в бронированном ЗИЛе к себе на дачу. Печень побаливала: вчера он позволил себе лишнее. Опять придется на диету, шайтан побери! Пусть бы ему, Алихану, кто объяснил, что такое справедливость — если у одного, достойного, человека больная печень, а у другого, недостойного, — здоровая, и даже уважаемая наука тут пока бессильна!

Он постарался переключиться на деловые мысли. Что дни его членства в Политбюро сочтены — он чуял безошибочно, и даже не слишком огорчался по этому поводу. Быть в такое время в правительстве — только лишняя обуза. Подставлять свою голову вместе с этими ишаками! Не те теперь расклады, чтобы это могло принести пользу.

Он вспомнил, как все начиналось, и улыбнулся: мудрый человек всегда свое возьмет! В середине правления Брежнева каждому было ясно: вождь собирает машины, коллекция эта может неограниченно расширяться — и, следовательно, машину ему уместнее всего и дарить. Красивого цвета и с окнами на кнопочках. Алихан же, будучи тогда главой одной из крупнейших мафий, не пошел по избитой дорожке. Голубой бриллиант в двадцать карат, оправленный в перстень-мечту — вот что выделило Алихана Ибрагимовича из толпы дарителей. Он был замечен, вознесен в аппарат ЦК, а там политические связи вывели его мафию на мировой уровень и возместили все затраты с лихвой. Членом Политбюро он стал позже, уже при Горбачеве.

Политика и подпольный бизнес на много лет переплелись в его жизни. Золотое время афганской войны, дружеские связи с борцами за коммунизм в Центральной Америке, красные бригады... Из наркотического короля Алихан давно уже превратился в императора, но разумно не ограничивал свою деятельность одними наркотиками. Что ж, теперь пришло время распутаться с политикой, во всяком случае русской. Что с разоренных возьмешь? Как голодную ослицу не дои, а она молока не даст.

Машина плавно затормозила, и Алихан сквозь строй вытянувшейся охраны прошел в дом. Первым делом он сорвал с себя ненавистные пиджак и галстук и облачился в порядочный халат, какие носят нормальные люди.

Секретарь Ахмед уже ждал в кабинете и вежливо поклонился.

— Докладывай, Ахмед-джан.

— Партия героина — та, что на сто килограмм, прошла благополучно. Канал работает, посольство не возражает. Можно начать серьезные количества.

— Хорошо.

— Вот очередные банковские отчеты.

Алихан бегло проглядел поданную распечатку. Его личный счет в «Credit Swiss» все никак не доходил до ста миллионов. Правда, если бы перевести все из других банков, то, возможно, желанная цифра была бы достигнута... Но Алихан был мудрым человеком, а не горячим мальчишкой. Он умел ждать.

— Давай говори дальше.

— Наш афганский поставщик Махмуд-хан просит надбавки. При последней переправе через границу его люди потеряли троих.

— Вежливо просит или нахально?

— Вежливо, Алихан Ибрагимович. Как к старшему человеку обращается.

— Что же он хочет сверх обычного?

— Блондинку. Но не старуху двадцати лет, а девушку.

— Поручи это дело Кариму. Он знает. Напомни ему только, чтоб сводил к гинекологу, а то в прошлый раз неудобно вышло. Через четыре дня в Пакистан летит наша профсоюзная делегация. Они и отвезут. Дальше говори.

— Семья Саида Умарова предлагает перемирие.

— Это хорошая новость. В этом сумасшедшем роду нашлись наконец разумные люди. Военные действия против них пока прекратить. Передай Саиду от нашего имени, что его отец был другом моего отца, а он мне как младший брат. Говори дальше.

— Это все, Алихан Ибрагимович.

— Хорошо. Слушай теперь. Из Одессы в Москву скоро пойдет поезд с грузом под кодом «Мыло». Выясни через наших людей в Одессе, когда и как. Поезд будут сопровождать военные. Кроме контейнера с грузом они еще повезут американца. Зовут его Росс. Меня и груз, и Росс интересуют. Организуй перехват. Тут в Москве это дело связано с американским дипломатом Хардингом.

Выведи на него кого-нибудь из наших. И пускай он все расскажет. Но больно ему не делай. Я с американцами портить отношения не хочу. Что хочешь спросить — спрашивай сейчас.

— Алихан Ибрагимович, перехват можно сделать только у Волгограда. Раз военный поезд идет — вертолеты понадобятся и прочее. А из Одессы в Москву поезд другой дорогой пойти может.

— Так сделайте, чтобы другой дорогой не пошел. Что такое железная дорога? Газеты читаешь? Железная дорога — это артерия страны. Перерезать легко. Вертолетов не надо для этого. Понял?

— Понял, Алихан Ибрагимович!

— Какой умный мальчик! Выполняй иди!

Остаток вечера Алихан провел в своем гареме. Фатима, веселый ребенок, его расшевелила, и он забыл о проклятой печени.

Санек, как всегда, просыпался медленно: со второй чашки кофе. Он держал ее нежно, как канарейку, и морщился на утреннюю музыку, которую Племяш запустил сегодня что-то слишком громко. Из уютного старого кресла он поглядывал, как Племяш ворочает гантелями, и тут сон прошел, и к Саньку вернулось его всегдашнее чутье.

Однако он не спешил и начал разговор только тогда, когда Племяш сел в поперечный шпагат и пошел бодать подбородком паркет.

— Племяш, мой мальчик, мне кажется, у тебя появились мысли. А по утрам это вредно для здоровья.

— Че ты, дядя Саня, я ж ничего не говорю! — вскинулся Племяш, собирая с полу свои коленки и лодыжки.

— Плохой бы я был дядя, если ждал, чтоб ты заговорил, дитятко мое стоеросовое. Нехорошо, когда у мальчика есть от дяди секреты.

— Да какие секреты, дядь Саня!

— И когда мальчик запирается — тоже нехорошо. От этого уши краснеют. Ну поди, глянь в зеркало! И кстати, там конфеточка на подзеркальнике специально для тебя. Прочитай-ка, что там на этикетке!

Племяш ринулся к указанному пункту и огласил упавшим голосом:

— «А ну-ка, отними»... Все у тебя с подначкой, дядя Саня! И откуда ты узнал? Это ж только позавчера...

— Это для вас, мордоворотов, позавчера, а я об этой шараге месяц назад знал. А посему берись за свой кефир и топай сюда. Я твои мысли, как видишь, уже усек. Ознакомься теперь с моими.

Да будем мы, Племяш, просты и бесхитростны, как дети, а то не войдем в Царствие небесное. Ну как тебя в школе учили рассуждать? Дано: уже больше года в Москве существуют подпольные кооперативы телохранителей. И даже не слишком скрываются. Плюс солисты вроде тебя. Спрос на эти услуги растет, заработком никто не обижен. И вот, когда дела идут так хорошо, появляются инициативные товарищи. Товарищам зачем-то нужно объединить всех телохранителей в некий профсоюз с названием популярной конфетки.

В задаче спрашивается: зачем? Ну-ка, Племяш, напрягись! Племяш почесал могучую шею и добросовестно напрягся:

— Так ведь работа тяжелая, рискованная, как же без организации? Опять же заработок будет гарантированный, никто не собьет.

— То есть, мой мальчик, весь вопрос упирается в деньги?

— Ну, не только в деньги. Взаимопомощь, и вообще...

— Тогда, чадо, рассмотрим оба аспекта. Денежный — раз. Законы сохранения проходил в шестом классе? Внушала тебе советская школа, что ничто не берется из ниоткуда? Так и копеечка не берется в том числе! Любой профсоюз существует на деньги своих овечек. Ему нужны бюрократы, распорядители, и все они кушать хотят, а овес нынче дорог. А это значит, что средняя овечка всегда дает больше, чем получает. А уж звезды вроде тебя — гораздо больше. Доступно?

— Ага. А что такое аспект, дядя Саня?

— Это как у девочки коленки: хочешь, за одну берись, чтоб добраться до сути, хочешь — за другую. Другой же аспект ты назвал словом взаимопомощь. Это как же ты ее себе мыслишь, если ты меня охраняешь, а твой коллега по профсоюзу какого-нибудь рэкетира, а? Может, вы до того допрофсоюзитесь, что дело до драк доходить не будет? А в этом случае кому же телохранители нужны? Или вы планируете лупить клиентов друг друга для поддержания стабильного заработка?

— Да нет, дядя Саня, зачем же?

— А если вам незачем, то пораскинь мозгами: кому все же такой профсоюз понадобился? Молчишь. Ну так слушай. Есть такая организация — КГБ. Вспомни популярные анекдоты и поблагодари Боженьку, что только по анекдотам ты их и знаешь. Как, по-твоему, они должны вписаться в перестройку и прочую лирику, если задача их остается прежней: чтоб никто без разрешения не чирикал? Всякие объединения растут как грибы, всех не пересажаешь — что же делать? Само собой разумеется — лезть в эти организации, в руководство, а если не выходит — создавать свои, с тем же названием и противоположными целями. Или — того лучше —

организовать что-то новое на имеющемся материале. Вот как ваш профсоюз.

— А это им на что, дядя Саня?

— А на то, что они и станут руководить, вы же будете им отчитываться: кто на кого работает, да сколько получает. Да кому морду бьет. Как профсоюзники вы им будете взносы платить, а как стукачи...

— Ты, дядя Саня, выбирай выражения!

— Ты можешь найти этому другое название? Да вы же все будете у них как на ладони — и мы все заодно! Хороши хранители! Нетушки, Племяш, не подрывай во мне с таким трудом разработанные родственные чувства! Не для того я сочинил наше с тобой родство, не для того прописывал тебя в этой квартире и отмазывал от армии, чтобы ты заложил дядю Саню, не ведая, что творишь. И помни, что сколько бы ни получали те олухи в профсоюзе, дядя всегда даст тебе вдвое больше в память о покойной, никогда не существующей своей сестричке. Считай, что я прослезился. Все. Кушай булочку, грешник!

Глава 5

В ПУТЬ

Как Зубров в 13-ю роту вошел, никто не видел и никто не упомнит. Но выход его приметили. Вышел Зубров из 13-й, и чудеса понеслись. Вслед за ним человек триста дембелей высыпали на плац, построились повзводно, грянула музыка, и давай дембеля руками-ногами вымахивать. Да не просто так, а в такт, в ритм. Сержанты знай себе покрикивают. Часа два вместо обеда вымахивали, а потом каждый взводный сержант воспитывал их на свой манер: кто — вставай-ложись, кто — пузом по асфальту ползи (а пузечко у дембеля уже вновь нежность обрело), кто противогазным бегом забавляется. И гремели песни строевые о лихой пулеметной тачанке и о трех танкистах, давших отпор коварному врагу. И сапоги гремели. И слышен был лязг лопат, штыков и прикладов, да такой яростный, на который способны самые злые первогодки.

К вечеру слух по бригаде прошел, что дембеля решили отомстить командованию новым, доселе неизвестным способом. Были и другие слухи. Говорили о массовом психическом вывихе, о влиянии наркотиков, о вредных последствиях афганской войны, которые будут сказываться в пятнадцати грядущих поколениях спецназа. Говорили об ответственной правительственной задаче, о таинственном грузе. Девки, дембелями внезапно брошенные, принесли из порта слух о мыле. И пошел гулять новый гибридный слух о том, что дембеля какого-то иностранного мыла по пьянке объелись, приняв его черт знает за что. Те же девки из бригады в город понесли потрясающие новости о массовом помешательстве дембелей, о магической силе новейшего аппарата, доставленного из-за рубежа, с помощью которого некий полковник Зубастов (он же Зубрастов) заставляет толпы непокорных людей делать все, что ему, Зубееву (он же Захварастуев) взбредет в голову. Чудесный аппарат неким образом связался с мылом. То ли на мыле он работал, то ли просто иностранный термин, которым аппарат назывался, имел созвучие с русским словом «мыло». Слух о таинственном полковнике, управляющем психикой непокорных, напоролся на слух о совсем другом полковнике, скромном и кротком, который только на трамваях по городу и ездит, и которому сам Миша будущность великую предрекает. Два слуха мирно сосуществовали пару дней, а потом слились в один и обросли самыми достоверными подробностями и с этого момента были уже не слухами, но фактами, подтверждать которые вызывались тысячи свидетелей, все своими глазами видевшие.

А 13-я рота вдруг прекратила свое существование, превратившись в батальон. Караулы вокруг удвоили и проволоку восстановили, добавив новой. И из-за той проволоки вопли раздавались и стрельба. С верхних этажей соседних казарм видели бои рукопашные, чистку оружия далеко за полночь, подъемы до рассвета, а то и тактические занятия на всю ночь. И вздыхали солдатики: ждем дембеля, как рая земного, ужели и нам судьба такой месяц последний уготовила?

Три дня и три ночи наполнял новый батальон шумом весь военный городок и наводил сотни голов на самые разные догадки, а потом был выстроен батальон на строевой смотр и полковник речь говорил. Что он там говорил, никому со стороны расслышать не удалось. Но были высказаны соображения.

— Даю тебе бронеплощадку, — сообщил Гусев, сделав широкий жест.

— Чего? — не понял Зубров.

— Бронеплощадку. Фильмы про войну смотрел? Смотрел. Ну так вспоминай, что бронеплощадкой называется боевой вагон бронепоезда.

— И вот из тех былинных времен мне и дают музейный вагон?

— Нет, не из тех былинных. Мы — единственная страна мира, которая и в конце двадцатого века имеет бронепоезда. Железные дороги — главный транспорт. На случай Третьей мировой войны мыслилось обеспечить надежную защиту железных дорог и потому в составе железнодорожных войск есть бронепоезда и отдельные броневагоны, называемые, как ты теперь знаешь, бронеплощадками. В мирное время все бронепоезда и бронеплощадки стоят в консервации. Ждут своего часа. Вот дождались. Понятно, что почти все они были сосредоточены в центральных районах страны — оттуда мыслился поток войск и вооружения к границам. А в западных приграничных округах им делать нечего.

В нашем Одесском округе одна только оказалась. Любуйся.

Залюбовался Зубров. Было чем. Бронеплощадка — это восьмиосный стодвадцатитонный вагон, закованный броней. Над первой группой осей — башня танка Т-72, над второй группой осей — башня «Шилки» — зенитной самоходной установки ЗСУ-23-4. Судя по вооружению, сработали эту красавицу не менее десяти лет назад, но она так и осталась новенькой, простояв долгие годы в депо, покрытая защитной смазкой и укутанная брезентами. Теперь брезенты и смазку сняли, и она предстала во всей грозной красоте перед своим будущим командиром.

— Зайдем?

— Зайдем, товарищ генерал-полковник.

Пахнуло краской свежей.

— В самом носу танковая башня.

— Самая обыкновенная башня с самого обыкновенного танка?

— Именно так. Только в танке силуэт низкий, поэтому при подъеме ствола вверх казенник пушки упирается в пол и пушку особенно не задерешь. А тут простор, казенник никуда не упирается, и поэтому пушку можно задрать очень высоко. При случае и по воздушным целям можешь шарахнуть. За точность не ручаюсь. Но лучше стрелять не особенно точно, чем никак. Мощь у пушки — дикая. Никто на западе таких пушек на танки не ставит. А заряжение автоматическое: восемь-девять выстрелов в минуту. Места в бронеплощадке много, и поэтому запас снарядов — ровно в пять раз больше, чем в обыкновенном танке. А вторая башня — с нашей родной «Шилки». Двадцать лет у американцев ничего подобного не было, а всего-то в ней: радарчик и четыре автоматические пушки, скорострельность четыре тысячи выстрелов в минуту. Старушка, конечно, но по самолетам сгодится. Рекомендую и по наземным целям.

А теперь по вагону пройдем. Тут — твой командный пункт с приборами наблюдения и внутренней связи. Бронеплощадка идет впереди локомотива, частично закрывая машинисту обзор, поэтому на твой командный пункт выведены приборы дистанционного управления. Со всеми приборами разберись. Кроме тебя тут постоянно будет находиться лейтенант железнодорожных войск. В состав твоего батальона включаю целый взвод железнодорожников — машинисты, механики, ремонтники мостов и пути, расчеты башен. Железнодорожный командир тебе скоро представится и покажет все хозяйство. А тут твоя командирская рубка. Комфорт, как у командира крейсера. Рубка связи — рядом. Кое-какое радиооборудование мы тебе вчера дополнительно вставили, включая станцию Р-600.

— Р-600? Правительственная связь?

— А как же. Ты ответственную правительственную задачу выполняешь. Будешь держать постоянную связь со мной и с Центральным командным пунктом, и с «Инстанцией». Понятно, что антенны выдвижные очень громоздкие и разворачивать их можно только на остановках.

— Кто же у меня на Р-600 работать будет?

— Понятно, никто такую станцию не потянет, кроме эксперта с многолетним опытом правительственной связи. Отдаю тебе своего личного радиста-шифровальщика, майора Брусникина. Да вот он тут сам со своей аппаратурой.

Из аппаратной на Зуброва глянула веселая чумазая рожа.

— Товарищ генерал-полковник, разрешите представиться своему командиру?

— Представляйся.

— Товарищ полковник, майор Брусникин, представляюсь по случаю назначения начальником связи вверенного вам батальона.

— Здравствуйте, майор.

— Здравия желаю, товарищ полковник.

— Чем занимаетесь, майор?

— Готовлю аппаратуру к работе в боевой обстановке.

— Я вас где-то раньше встречал?..

— На узле перехвата в Гаване, товарищ полковник.

— Да, вспомнил. Продолжайте работу.

— Есть продолжать работу.

Грянула команда и покатилась по углам безбрежного плаца, залаяла эхом вдали. Замер батальон. Не шелохнется. Только Зубров вроде как приплясывает на месте, точно жеребец в нетерпении. Радостное бешенство полковника переполняет. Хлестнул Зубров прутиком по голенищу и приказал, как отрубил:

— Младший сержант Салымон!

— Я!

— Сорок шагов вперед! Шагом АРШ!

Отпечатал Салымон сорок указанных ему шагов, замер. Ждет. И батальон ждет. Застыв. Что еще Зубров учудит? Что еще ему в голову взбредет? Ишь глазом-то, глазом косит. Жеребец, он и есть жеребец.

— Продемонстрируй, Салымон, мощь свою.

— Есть продемонстрировать мощь!

Ухватил Салымон метров трех антенну. Взмахнул слегка как кнутом цыганским. Побежала волна по змеиной спинке. Вздохнул-выдохнул. Примерялся долго, поглядывая на красавицу березку на краю плаца.

— С-а-а-лымон, — с распевом протянул Зубров предварительную команду и тут же рубанул команду исполнительную: БЕЙ!

Развернулся Салымон дискоболом на полный круг, волоча за собой по земле антеннов конец, крутанул над собой свистящую стальную плеть и положил конец ее на березовый стволик. Захлестнула антенна ствол, обвилась, облепила. И опала. Постояла, постояла березка и подкосилась.

— Славненько. А если б такой антенной кому по хребту врезать? Переломил бы хребет одним ударом? — сам себе задал вопрос Зубров и сам же уверенно ответил: — Переломил бы.

И батальон молча со своим командиром согласился.

— Младший сержант Салымон!

— Я!

— Назначаю вас своим телохранителем и исполнителем, с сохранением должности старшины батальона и присвоением воинского звания сержант!

— Служ... Сов... Союз!

— Становитесь в строй!

— Есть!

— Вот что, сучьи дети. Полномочий у меня всегда хватало...

При этих словах по строю легкой рябью понесло усмешку полного согласия. Собственной шкурой вспомнил каждый, что полномочий действительно Зуброву всегда хватало. А еще вспомнил каждый, что полномочия свои он использовал полностью, до упора, ну и еще самую малость сверх того.

— А теперь получил я полномочия чрезвычайные. И потому порядок будет такой: любой приказ любого из командиров от ефрейтора до полковника, выполняется любой ценой. — Окинул Зубров батальон цепким взглядом и повторил совсем уж тихо: — Любой приказ, любой ценой.

Сказал последние слова он вроде сам себе, но услышан был даже и в задних рядах.

— Если ради выполнения жизнь придется положить, что ж, клади жизнь. Чего ее жалеть? То не приказ, ради которого жизнь положить жалко. То не страна, ради которой солдат жизнью не готов жертвовать.

На смерть идем. Все. Днем раньше, днем позже — велика ли разница? А уж если подыхать, так красиво. Подохнем, но приказ родины выполним!

— Выполним, — вдруг отозвался глухо батальон.

— За невыполнение любого приказа запорю шомполами. За злостное невыполнение после ста шомполов
Салымон еще и антенной добавит. За невыполнение
приказа сержанта — один удар антенной. За невыполнение приказа прапорщика — десять ударов антенной. За
невыполнение приказа офицера — сто антенн! Ну, а
если кто моего приказа не выполнит... — Зубров на
мгновение задумался... — Кто моего приказа не выполнит... — того я прощу. Но мои приказы рекомендую выполнять. Не мне служите, сучьи дети, но родине нашей.
Спасать ее идем. Что везем, ни мне, ни вам знать не
дано. Может быть, везем нечто такое, что родину нашу
спасет. Довезем, и будет она жить в свободе, в труде, в
радости. Не довезем — может, рухнет она к чертовой
матери. И будет править нами всяк кто ни попадя. Но не
быть тому! Груз мы доставим. Любой ценой. Любой.
Приказали мне формировать батальон только добро-
вольцами. Вот тут я применил первый раз свои особые
полномочия: никаких добровольцев. Всегда так было:
командиру приказывают, что сделать надо, а уж как,
пусть сам сообразит. Вот и мне приказали груз доставить, а уж как — сам решу. И решил: без добровольцев.
Родина в развале. Спасать надо. И не нужно мне знать
вашего желания. Горе той стране, которую защищают
только желающие. А если желающих сдохнуть не най-
дется в достатке, тогда как? Так вот, кого знаю, кому
верю, кого в деле видел, того взял. А теперь кому прикажу сдохнуть, все и сдохнем. Вопросы ЕСТЬ?

— НИКАК НЕТ!

— Тогда с Богом.

Тетя Маня с неодобрением смотрела, как Любка в
нахальном халатике прошлепала к кухонному крану.

— Совести у девки нет: за полдень просыпаться! То-
то вся рожа опухла, на что только мужики падают!

— Такая у меня работа, тетя Маня: всегда третья смена, и хоть бы кто за вредность молочка выделил! — захохотала Любка и отвесила соседке смачный воздушный поцелуй.

Это была их обычная перепалка. Остальные соседи в эту пору томились на работе, и пенсионерка тетя Маня скучала без компании. Против нотаций Любка не возражала.

— Воспитывай меня, теть Маня! Как перевоспитаешь — Господь тебе все грехи отпустит! Успела, небось, пошустрить, пока молодая была?

— Ты моих грехов не считай!

— Где уж мне считать, я дальше сотни не умею!

— О себе бы подумала, позорница: двадцать восемь лет — и ни семьи, ничего! Думала — потом успеешь? Чтоб у меня так печень болела, как ты успеешь!

Сегодня тетя Маня звучала мрачней библейского пророка, но спросонок Любка этого не уловила и продолжала так же весело:

— А я вот ребеночка нагуляю и тебе подкину: читай ему мораль с утра до вечера!

— Тьфу на тебя, беспутная! Да не крути ты кран, не крути! Не умыла личность свою выдающуюся, когда все нормальные люди умываются — ходи теперь тушью извозюканная! Нет воды и не будет теперь. Обожди дождичка, тогда ресницы разлепишь!

— А чего такое, теть Маня? — встревожилась Любка.

К перебоям с водой одесситам было не привыкать, в последние пару лет ее обычно качали хорошо если три часа в день. А уж ночью водопровод не работал еще со второй эпидемии холеры. Но не стала бы старуха так расстраиваться по пустякам.

— А такое, что остапенки Беляевку заняли! На Одессу теперь идут! Любка так и села.

— Да ты точно знаешь, тетя Маня?

— Куда точнее! Я уже с утра полгорода с ведром оббегала! А у колодца в Канаве коммуняки караул выставили, никого не пускают.

Новости были хуже некуда. Что значит «заняли Беляевку» — Одесса знала с военных еще времен. Из Беляевки тянули воду, и не было проще способа взять город, чем отрезать его от единственного источника и начать вымаривать жаждой.

Тетя Маня хорошо помнила зеленую водочную стопку, которой делили последнее на всю квартиру ведро воды, когда подошли немцы. Тогда, однако, удалось продержаться: город сравнительно быстро сдали, немцы, войдя в него, оказались румынами, и по-настоящему плохо стало гораздо позже — когда ввели войска СС, и появились виселицы на улицах.

Теперь же, в ширящейся неразберихе, можно было ожидать всего. Даже самые эрудированные уличные пацаны не всегда могли перечислить все названия повстанческих армий, мародерских банд и политических партий. Любой замурзанный вундеркинд (а других детей одесские мамаши не производили с самой дореволюции) мог заткнуть за пояс любого западного советолога, но все же рисковал сбиться.

— Коммуняки, сицилисты, зеленые сицилисты, монархисты, конституцонные петлюровцы, савеловцы, голубые братья, черноморцы, автономники...

— Дурак, остапенков забыл! Чур, теперь не считается, раз ты встрял!

Остапенки, по слухам, были беспощадны к инородцам, а инородцами были все, кто не мог чисто произнести украинское слово «паляныця»*.

У них были эрудиты, способные аргументировать притязание Украины на какую угодно территорию, вплоть до канадской автономии. И у них были весе-

---

* Каравай.

— Что напишешь, то и станет правдой...

— А как я их по мятежным территориям провозить буду, там народ на коммунистов злой, они своим присутствием лишние трудности создают.

— Дело обстоит как раз наоборот. За проезд по мятежным территориям с тебя плату требовать будут, денег я тебе в командирскую рубку три чемодана поставить приказал, да только никто сейчас советский рубль не принимает. На какой режим ни нарвешься, на анархистов или монархистов, каждому приятно с коммунистами счеты свести. Соображай, в общем, сам. Мне их холить и лелеять тоже, понимаешь, не ко времени. Остапенок с Беляевки выбил — другие лезут. А тут еще изволь Молдавией заниматься с теми же силами.

Да ты не горюй: главная нагрузка тебе еще впереди. Из Москвы распоряжение пришло доставить не только груз, но и американца, что при нем. И уж этого изволь довезти в целости и сохранности... А вот он и сам идет. Делай дружбу-мир, потом разъясню.

Подошел крепкий улыбающийся мужик, постарше Зуброва, одетый, будто на пикник собрался.

— Вот, мистер Росс, командир нашего поезда. Он вас и подвезет, как мы договорились, до самой Москвы, и груз поможет доставить на место. Знакомьтесь: полковник Зубров.

Рукопожатие у американца оказалось приятное: открытое и дружелюбное.

— Меня зовут Поль, — старательно выговорил он.

— Меня — Виктор. Вы прекрасно говорите по-русски, Поль!

— О, нет, нет. У меня не хватает практика. Я буду рад улучшить свой язык. Это есть чрезвычайно любезно, товарищи, что вы так добро согласились мне помочь.

— Что вы, — улыбнулся Гусев. — Обычное дело. Помогать укреплению международных связей — наш долг.

лые хлопцы, готовые отстаивать эти притязания безо всяких там летописей и раскопок. Возможному оппоненту вежливо предлагали произнести проверочное слово и в случае неудачи приглашали с поклоном:

— Прошу пана до гилляки!

Теперь они за пятьдесят километров. Но, войдя в Одессу, на первой попавшейся акации они могли бы развешать представителей каких угодно наций, кроме греков, — да и то потому, что одесскими греками в свое время озаботился лично товарищ Сталин. Тетя Маня рассказала, что уже открылись частные курсы Абрама Соломоновича Мендельсона. Он учил произносить «паляныця» интенсивным методом, а плату принимал водой. За обучение детей он брал вдвое меньше, но не из альтруизма, а из уважения к честному бизнесу: детские группы обучались вдвое быстрее.

По словам тети Мани, был и расширенный курс, где кроме ключевого слова изучались популярные проклятия и нелестные пожелания. Они были призваны окончательно убедить экзаменаторов в невиновности испытуемого.

— А ты, тетя Маня, записалась?

— А нащо мени, сим болячек твоему батькови в печинку, в жидив ридний мови вчытыся?! — отрезала тетя Маня. И пораженная Любка так никогда и не поняла: с утра ли успела шустрая бабка пройти интенсивный курс или умела так выражаться с безгрешной юности.

Так или иначе, пора было на работу, и Любка предпочла изводить французский лосьон для смывки вчерашнего грима, чем хоть грамм из полутора литров воды, выделенных ей тетей Маней. Склочная старуха исхитрилась-таки урвать последнее ведро и сейчас делила его на всех. Ей вовсе не улыбалось, в случае долгой осады, выжить последней изо всей квартиры.

— Любка, привет! Умытинькая, мымра!

— Любаша, слышала: остапенки идут! Побалуемся с хлопчиками чорнобривенькими!

— Любка, меняю двадцать штук на капусту, по юго-западному курсу!

— Люба моя, вымри на месте: мыло подогнали, целый ешелон!

Из этого залпа приветствий Любка выделила только новое слово «мыло» и устремилась его разъяснять:

— На фиг мыло, раз воды нет?

— Не горюй, сестренка, намылишься! Сеня Жареный обещал, что дальше Портофранковской не уйдет! Представляешь — из Америки контейнеры, так и написано: «Маде ин Канаде». Мой голубь всю ночь по сверхурочке таскал, к утру только и мог, что бульончик пить!

Канава бурлила, перемывая сенсацию. Из нее высасывали самый смак, как из крабьих клешней, запивая пивом и сплевывая, как окурок, — тем, кто готов подобрать. Любка не спешила спускаться к порту, уловив слова «вокзал» и «спецназ». Никакой следователь не вывел бы из изощренной одесской речи связь между Любкиной надеждой на красивую жизнь и троллейбусом «номер раз», ходившим теперь действительно раз в сутки.

Но именно в этот троллейбус впихнула свою идеальную фигуру Любка Машкара, неся при себе самодельную сумку-банан. В сумке были: паспорт гражданки Советского Союза, свидетельство о рождении в городе Одессе, пачка американских супертампонов на случай обильной менструации, диоровские кружевные трусики, блок безопасных лезвий «Жиллетт», оренбургский пуховый платок и томик Есенина.

На вокзале пахло мочой, мазутом и прочей скверной. Тут каждый поцелуй был, как последний. Тут било под ребра беспризорным сиротством, и хотелось поджечь что-нибудь: то ли лабаз, то ли горком.

Среди бесцельно дрыгающихся фигур Любка различила единственное смысловое движение: у запасного пути, где не было никаких объявлений. Перетянутый невидимо чем, туже, чем игрушечной портупеей, там командовал чернявый, ладный, с разбойничьими глазами. Конечно, Любку повело туда, куда все спешили, н узнавая друг друга или ловко прикидываясь. Она, проделав нужную серию ужимок глазами и попкой, разделила багажную полку с какой-то мымрой. И заснул прежде, чем грянули колеса о стыки.

— Так, Зубров, все погрузил?

— Все, товарищ генерал-полковник.

— Все проверил?

— Все.

— Жаль, что второй бронеплощадки у меня нет. Об ходись одной. В пути тебе несколько раз придется от ходить назад, переформировывать состав. Старайс сохранить тот порядок, в котором поезд стоит сейча баластная платформа с рельсами-шпалами и ремонт ным инструментом, за ней бронеплощадка, потом теп ловоз, за тепловозом — цистерна с топливом, платфор ма с контейнером, пассажирские вагоны батальона платформы с боевыми и транспортными машинами.

— А это кого там цепляют?

— А это тебе нагрузка...

— Что еще за нагрузка?

— Видишь ли, Зубров, приказали мне партийных т варищей в Москву отправить при первой возможност Ты у меня самая первая возможность. И последняя.

— Товарищ генерал, сжальтесь. Куда мне этих дарм едов? А кормить их чем?

— Слушай, ни мне, ни тебе никто не приказывал в Москву доставить. Приказано только из Одессы о править. А там...

— Понимаю, но приеду в Москву, и прикажут отче писать, всю правду...

И к тому же вы знаете, как у нас сейчас поощряют кооперативы. А вы ведь друг нашей страны, Поль. Сейчас
товарищ Зубров вас устроит в купе. Вещи-то ваши где?

Делать нечего, подозвал Зубров Драча, отвел в сто-
ронку и распорядился вполголоса:

— Этого — в отдельное купе, рядом с твоим собственным. Уплотни там ребят. Да обращайся, как с
хрустальной вазой. Американец он. По-русски, учти,
понимает. А я тебе все потом объясню — когда сам
разберусь.

Когда Драч увел очень довольного Поля, а следом
поволокли его чемоданы, Зубров попросил уточнить
инструкции:

— Товарищ генерал-полковник, как прикажете с
ним в дороге обращаться?

— А на это нам указаний не дали. Ты его вместе с
грузом должен сдать живого и здорового, вот и все. А
что это за фрукт — я сам не понимаю. То ли, понимаешь, шпион — и тогда ты везешь его под арест. То ли
консультант, как с секретным этим оборудованием обращаться — и тогда он на наших работает. Мне он, когда я его встретил со всей помпой, выдал легенду: он,
мол, бизнесмен, везет контейнер мыла в Москву по до-
говору с каким-то кооперативом. Ну, я легенду на всякий случай поддержал, помощь ему предложил. Объяснил, что быстрее военного эшелона его никто не
доставит. Прикидывается этаким дурачком: от всего в
восторге, вопросы задает. Ловко прикидывается, надо
отдать ему должное. Так что тебе, пока он не брыкается, тоже разумно эту легенду поддерживать. Но глаз не
спускай!

— Слушаюсь, товарищ генерал-полковник!

Вдруг потянул локомотив вагоны за собой. Зубров
вскочил в последний вагон, и генерал-полковник Гусев не успел ни пожать ему руку, ни пожелать счастли-
вого пути.

Так и двинул эшелон: с батальоном, с неведомым грузом, с загадочным иностранцем, с партийными боссами, с жульнически проникшими портовыми проститутками и с неоправданно помпезным названием «Золотой».

Глава 6

БЕСПОКОЙНЫЕ ВРЕМЕНА

«Вы слушаете «Голос Америки» из Вашингтона. После трехдневного пребывания в Зимбабве сегодня в столицу Демократической Республики Мадагаскар город Антананариву прибыл с государственным визитом Президент Горбачев. Гостя встречали: Президент республики, Председатель Национального фронта защиты Малагасийской социалистической революции адмирал Дидье Рацираки, Премьер-министр подполковник Виктор Рамахатра и другие члены Верховного революционного совета. После короткого парада, в котором участвовали оба батальона Мадагаскарской революционной армии и все 12 Мигов ВВС, Президент Горбачев обратился к собравшимся с большой речью, неоднократно прерывавшейся аплодисментами. Присутствовавшие с огромным энтузиазмом выслушали рассказ Советского гостя об успехах перестройки. Официальная часть встречи закончилась поздно ночью традиционным танцем воинов-бецимисараков и торжественным обедом под открытым небом».

Последнее время Хардинг уже никак не мог различить передачи Московского радио и «Голоса Америки» — и общий тон, и содержание были удивительно похожи. Пожалуй, «Голос» давал чуть больше деталей, а Москва — музыки. И хоть по долгу службы полагалось ему слушать обе станции, чаще всего он ограничивался какой-нибудь одной. Жаль было тратить время — слишком уж манили иные голоса.

Появились у него уже и свои любимые станции. На-пример, в Калининграде, то бишь в бывшем Кенигс-берге, окопались съехавшиеся со всей страны «интер-националисты-ленинцы». Эти именовали московское руководство не иначе, как «преступной кликой ревизи-онистов и ренегатов, продавших мировой буржуазии страну победившего социализма». Передачи их начи-нались, разумеется, с пения «Интернационала», видимо, группой отставных полковников и персональных пен-сионеров, а кончались песнями Великой Отечествен-ной. В промежутках же политбеседы, политинформа-ция и сообщались новости о хозяйственных успехах в Калининградской области.

С другой стороны, город Владимир был явно в руках православных и почти непрерывно транслировал цер-ковную службу, молитвы и жития святых. Трудно было, однако, понять, к какой именно ветви православной церкви они принадлежали, поскольку ни власти Пат-риарха Всея Руси, ни власти Синода не признавали.

Занятнее же всех была, конечно, радиостанция 6-й Ударной армии, сражавшейся уже который месяц с «басмачами» и «душманами» на бескрайних просторах Средней Азии. Буквально каждый день сообщала она о новых и совершенно сокрушительных победах над про-тивником, но как-то получалось, что на следующий же день оказывались ее части отступившими «на заранее подготовленные позиции». Поначалу Хардинг пытался даже следить за ее передвижениями и отмечать на кар-те позиции, но вскоре совершенно запутался. Не имея специальной подготовки, трудно было Хардингу разоб-раться в премудростях военного дела. Ведь вот целых две недели продолжалось «успешное наступление по всему фронту на подступах к городам Алма-Ата и Фрун-зе», в ходе которого «крупные группировки басмачей были окружены и полностью уничтожены, а основные силы противника продолжали отступать, понеся тяжелые потери в боевой силе и технике». Но тут вдруг пришло сообщение, что «победоносная 6-я Ударная армия благополучно отошла для переформирования к городу Семипалатинску», а это получалось аж тысячу верст на север. Вздыхал Хардинг, чесал в затылке. То ли расслышал он плохо, то ли карта его устарела? Проще всего было писать отчеты, не пытаясь разобраться в этой путанице. Вилли отнюдь не собирался посвящать все свои дни и ночи выяснению обстоятельств, которые все равно назавтра изменятся.

Подполковник КГБ Новиков чувствовал себя нехорошо. Уже близилось, он это чуял нюхом, но не напишешь же в рапорте о предчувствиях! А если бы такому рапорту и поверили — кого б он этим удивил? Что — ему прислали бы дивизию на подмогу? Да еще с азербайджанской войны все начальство лагерей только об одном и молилось — чтоб хоть прежние силы им оставили! Новиков застонал и замычал, вспомнив, как из Саранского изолятора КГБ отмели половину надзирателей, якобы за ненадобностью. А какие были ребята! Конечно, натасканы они были не для того, чтоб за политзэками приглядывать: политические и калеку не зарежут, особенно женщины. Нервы, правда, все вымотают. Но не ради них же ребята все как один ходили в школу каратэ и скучные надзирательские часы в коридорах скрашивали тренировками с нунчаками!

Ведь тогда готовились к худшему! Ведь во всю эту идиотскую перестройку бомбили Москву рапортами о растущем мордовском национализме! Для убедительности пришлось через своих же стукачей организовать демонстрацию студентов Саранского университета с требованием того — не знаю чего. Казалось бы, ясно: Мордовия — в восьмистах километрах от Москвы, а Азербайджан с Арменией — хрен знает где. Ну, отпустили бы их с миром: все равно у них мира бы не было.

Резали бы себе друг друга, а уж с остатками можно было бы поэкспериментировать. Так нет же: игнорируя мордовские страсти — умыкнули самых лучших! На что? На муслемов этих чокнутых?! А лагеря — побоку? Четыре с половиной миллиона озверелых рабов, которых ни на какую перестройку не купишь!

Началось это с полгода тому назад. Первые сообщения сопровождались бодрыми дополнениями: «На подавление бунта направлена ...дивизия МВД. Подробности операции будут сообщены в следующей сводке новостей». Однако подробности, притом весьма короткие, поступили лишь дважды. Сводки становились все лаконичнее и вскоре приобрели вид: «Бунт АЯ-195». И дата. И все. Понимай как знаешь. Ни призывов к бдительности, ни инструкций.

Такими сводками Новикова кормили раз в неделю: состояние лагерей по стране. Новиков стал отмечать бунтовавшие лагеря на большой карте СССР, висевшей у него над столом. Черными крестиками. Северо-восток страны изрядно почернел, а «крестный ход» перевалил за Уральские горы и подкатывал к Мордовии.

Последние три дня стукачи всех девятнадцати лагерей узла ЖХ-385 сообщали, что все зоны одновременно называют их в глаза стукачами. Вчера они замолкли, как по волшебству: кто не явился к оперу, кто не бросил в почтовый ящик очередную информацию, кто, под конвоем приведенный, просил перевести в другую зону, но о своей ничего не знал.

И все это ослы из Главного управления не считают достаточными признаками бунта! А когда из Новикова выпустят кишки, об этом будет очередная сводка, и кто-нибудь такой же молодой и перспективный нарисует на карте новый жирный крест — от Саранска до Потьмы!

Новиков только что отпустил расконвоированного зэка Сеню Рога. Уже месяц он брал у Сени уроки зэковских замашек и блатного жаргона. Оказалось, что он не знает элементарных вещей. Например, какая газета — «Известия» или «Правда» — лучше для самокруток. И что фразой «конь с яйцами» обзывают женщину, а не мужчину, как он думал. Новиков был в отчаянии, а Рог брал за каждый урок по пять пачек американских сигарет.

Новиков включил магнитофон с записью урока и невольно вздрогнул, услышав хриплый баритон Сени Рога:

— Ты, кусок интеллекта! Нахватался верхушек, падла! Я те глаза выниму и соломой заткну! Мент вонючий.

Он открыл шкаф, снял с вешалки потертый зэковский бушлат и драные хлопчатобумажные штаны. Переоделся, глянул в зеркало и повторил:

— Мент вонючий!

Получилось неубедительно, без чувства. И тут зазвенел телефон. Сквозь треск и вой он различил обезумевший голос начальника четырнадцатой зоны с Молочницы:

— У меня бунт, шлите...

Дальше был только грохот отдаленного взрыва.

Новиков подскочил к сейфу и стал выгребать из него в большую дорожную сумку пачки денег, пакеты с наркотиками и коробки с патронами. Сунул наверх набор иголок для татуировок и задернул молнию. Дежуривший у выхода прапорщик дрожащими руками примыкал к автомату штык. Он не сразу узнал Новикова в зэковском бушлате, а узнав, озарился и затараторил:

— Я с вами, товарищ подполковник, я с вами!

— Конечно же со мной, Ванечка. Помоги сумку поднести.

Прапорщик закинул автомат за плечо и наклонился за опущенной на пол сумкой.

Выпрямиться он не успел. Выстрел в упор снес ему половину черепа. Новиков быстро сунул пистолет в карман и выдернул сумку из-под отяжелевшего Ванечки.

— Вот сука, все мозгами забрызгал!

И направился к выходу.

Почему-то никто не замечал многие годы, что возле Явасской спецчасти КГБ примостился этакий деревенский погреб: полукруг над дверью, а все остальное уходит в землю. Новиков, аккуратно притворив дверь, добрался до дальнего угла и, засунув руку в щель между бревнами, нащупал кнопочку.

Бункер был небольшой, построенный по типовому проекту. Еще в брежневские времена закрытый отдел Научно-исследовательского института Гражданской обороны разработал четырнадцать вариантов бункеров для ответственных работников на случай ядерной войны. В бункерах для членов Политбюро имелись бассейны и парные бани. Бункер, спасший Новикова, был низшего разряда: двухъярусные койки, холодильник с запасом продуктов, примитивный сортир и каморка с аппаратом секретной связи.

По инструкции Новиков должен был первым делом звонить в Москву, в центр. Однако для начала он инструкцию нарушил. Русые его волосы опадали на пол. Зеркало было одно, и на затылке он орудовал ножницами на ощупь. Потом подровнял все бритвой. За пару недель щетина отрастет, щеки втянутся — и кто его отличит от зэка?

Он набрал код такого же бункера, как его: в Пермском лагере. Там взбунтовались десять дней назад. На четвертом звонке аппарат ожил, и он узнал голос своего однокашника полковника Петина.

— Алло!

— Алло!

— Здравия желаю, товарищ полковник. Говорит подполковник Новиков.

— Ага. Значит, и тебя уже в бункер загнали.

— Загнали. Я хотел посоветоваться, как в Москву докладывать.

— Подмогу просить собрался. Дурак. Звони-звони. Тебе велят явиться с докладом в Москву, а заодно напомнят об ответственности за архивы. Добираться при этом пердячим паром, а отбиваться своими средствами. Затем начнут звонить по три раза в день, угрожать трибуналом и требовать доложить обстановку. Сходи, мол, на разведку, языка прихвати и жди распоряжений. У тебя началось?

— Только что. Похоже, всюду одновременно.

— Точно как у меня.

— Что же теперь делать?

— Головой думать. Пора. Побереги аккумуляторы.

Этот последний совет Новиков оценил позже. Лампочка горела еле-еле. Было душно. Сколько прошло дней — он не знал: часы с датами он с юности считал пижонством. Щетина, однако, уже колола ладонь.

Новиков решился. Он выложил на стол набор для татуировок. Эх, предлагал ему Рог привести специалиста! Уже бы все зажило. Но тянул до последнего: шкуру берег. Вот и коли теперь сам!

Он пошарил в сумке и похолодел: альбома не было! Того самого, что подарил ему Павел Поликарпович, — как знал, что пригодится! С коллекцией наколок и расшифровкой: которая что значит.

Отчаянье нахлынуло и перекрыло глотку. Появиться среди блатных с татуировками, не соответствующими твоей легенде, — было еще хуже, чем в милицейской фуражке. Что делать, мамочка моя, что?

Тут он вдруг вспомнил блатного, который на десятом году отсидки ударился в политику. Марков была его фамилия. Взял и ни с того ни с сего наколол себе на рожу антисоветские татуировки — и это в зоне с отличной политико-воспитательной работой.

Трижды по приказу Павла Поликарповича ему срезали кожу со щек без наркоза. И каждый раз упрямый

Марков дожидался, пока затянутся раны, и накалывал снова. А потом пришел указ из Москвы: за антисоветские татуировки — суд и расстрел. Маркова, правда, не расстреляли. Дали ему пятнадцать лет и сунули в политзону. Там он и прижился, а когда подоспела гласность и прочие лютики-цветочки, его освободили в числе менее опасных.

Рожу Маркова он помнил, тут ему никакого альбома не нужно было. Политзэки по всем лагерям были в почете. И жаргон ворья им был ни к чему: им прощали интеллегентность.

Значит, так: собиратель мордовского фольклора, разбросавший в Саранске листовки с призывом к свержению советской власти. Три года по новой «горбачевской» статье.

Он нашарил переднюю бутылку водки, отхлебнул и протер себе остатками лицо. На левую скулу — Ленин ЛЮДОЕД, на правую — РАБ КПСС. Он встал перед зеркалом и навел контур.

Глава 7

ЧЕРКАССЫ

— Черкассы! — заорал наблюдатель, и указал автоматом в пустую степь.

— Чего орешь?

— Вон туда смотрите! — с колумбовским видом указал наблюдатель, и тут дошло до сомневающихся: полгоризонта закрывало ядовито-зеленое облако.

— Черкассы, — радостно подхватили все, — Черкассы!

— Вишь, до чего природа разумна, — умилялся Драч, — больше месяца, как химкомбинат шарахнул, а облако, вишь, все стоит, никуда его не относит! И радостно подхватил общий вопль: — Черкассы!

Вот и колеса повеселее застучали, и выплыли из-за горизонта скелеты вышек химкомбината. Вышки червями труб разноцветных переплетены, и все, разумеется, зеленой пылью пересыпано. Вот и караульные вышки рядом с химическими проступили, без этого соседства ни одна великая стройка не обходится. Но и они теперь в пылюке этой, и не веселит больше глаз проезжего ядреный охранник в добротной шинели.

Никого нет. Редко-редко среди брошенных домов в одном окошко откроется и высунется незнамо кто: ребенок ли, старушка или взрослый мужик. В противогазе не разберешь. Подумал было Зубров отдать приказ и в эшелоне надеть противогазы, но тут облако пошло пореже. Самую опасную зону, значит, миновали. Простучал поезд вокзал брошенный, простучал мимо депо локомотивного, и тянет вокруг города. Ждет батальон своей участи.

Тут Днепр пересекать. Пересечем Днепр у Черкасс — и завтра в Москве будем, прямо на Киевском вокзале. Тут Зуброву и офицерам — награда за ответственную операцию, солдатам — желанный дембель, Россу... ну, в общем, это начальство решит, но он-то думает, что сдаст он мыло наконец и пару дней просто отдохнет, по Москве побродит, а потом уж займется бизнесом. А девицы: от вокзала только мост перейти — и вот тебе Смоленская площадь, вот кольцо Садовое, культурно и неопасно, никаких тебе остапенок. Хочешь — иностранца охмури, чтоб женился и на Запад увез, хочешь — москвичу голову заморочь, чтобы он тебе московскую прописку оформил, а уж если не повезет — урви хоть койку в рабочем общежитии... но это уже мрачная перспектива, и думать о ней не хочется. Все будет прекрасно — только Днепр пересечем.

Обошли город — и пошел поезд под уклон. Промелькнула Сосновка и парк дубовый, вот и Днепр уже виден. Вернее, то, во что его превратили, перегородив.

Не успел Драч, у которого от любой бесхозяйственности сердце болело, пожелать всех болячек во все печенки тем, кто додумался великую реку испохабить, — стал эшелон. Дальше все пути забиты вагонами да локомотивами.

Тут и Драчу стало не до экологии, и Зубров присвистнул. Вагоны некоторые, отсюда видно, с мест сошли, локомотивы безжизненны. Что еще, черт побери, тут стряслось? Но не продвинуться, это ясно. Смотрит Зубров на Брусникина — тот плечами жмет. Драч тоже идей не подает. Хрен его знает, что в такой ситуации делать надо. Ладно, тогда так:

— Два ГАЗ-166, один слева, другой справа от колеи — к разгрузке!

Две легоньких машины слетели вниз, словно шлюпки с крейсера.

— Связь постоянная, — рыкнул Зубров.

— Есть! — в два голоса отозвались командиры машин.

Ждет эшелон. Два юрких газика устремились вперед к мосту.

— Обе разведгруппы — домой! — бросил Зубров в микрофон, а сам карандаш кусает.

— БМД — к спуску!

Спустили БМД на грунт.

— Федя!

— Я! — звякнул Федя из радиорубки.

— За меня остаешься!

— Есть!

— Что, Драч, одной БМД и двумя газиками обойдемся?

— Так неужели ж?

— Так вот, я иду центральной улицей. Она прямень-ко к обкому выведет. Слева меня не прижмут: там река. А ты иди по параллельной улице правее. Две у нас цели: обком да штаб дивизии. Там только нам помочь могут.

Может, мост расчистят, может в дивизии переправочные средства есть. Понял?

— Понял.

— Тогда двигай. Если стрельбу услышишь — поддержи. БМД тебе отдаю, у меня огневой мощи не будет.

— Понял-понял. Поддержу.

Службу Зубров начинал в этом городе. В этой самой 41-й Гвардейской танковой дивизии. В разведывательном батальоне. Командиром группы глубинной разведки. А вспомнилась ему сейчас почему-то речка Рось, с которой, по легенде, и Русь началась и получила свое имя. И рассказы местных, что Черкассы древнее Киева и что климат тут был чуть не лучший на Земле, и почва: хочешь — хлеб сей, хочешь — рыбу лови, хочешь — охоться в дубравах... И захотели, и взялись — потому и вся Россия с этой благодати начиналась.

Пылит ГАЗ-166 по бесконечной, ровной, как пулеметный шомпол, улице. И пыль зеленоватая. Вроде вымер веселый город, и усомнился Зубров в своем решении. Он да водитель Чирва-Козырь, больше никого. Правда, по соседней улице еще один газик идет да БМД рядом. Там и Драч, и Салымон, и еще трое-четверо надежных ребят.

Домики пустые мимо бегут. Погуще постройки пошли. Повыше. Миновали почтамт — и вот тебе площадь центральная, Ленин гранитный со снесенной головой, обком белокаменный — и люди наконец. Да не люди, а ревущая толпа. Гром да грохот. Штурм, похлеще штурма Зимнего. Дым из обкомовских окон да стрельба. И коммунистов рвут на части. Ну, это уж совсем нехорошо. Вроде и заслужили коммунисты сотни казней — но зачем же им все-таки ноги и прочее отрывать, если можно просто и гуманно их на фонарях развесить?

Рыкнул Зубров, но не был услышан. Толпа в зверстве. Лица все серые и даже с прозеленью, не дай бог такие лица во сне увидеть! И не пробьешься туда, к людскому водовороту — где всего интереснее, где история вершится, пока еще никем не перевранная.

Матюгнулся Зубров — и к двери. Чирва-Козырь из этих матюгов понял одно: надо ждать командирского возвращения. На газике к центру толпы никак не пробиться.

Распихивает Зубров толпу и сам под бока получает. Гуще пошло да злее. Рвут обкомовских воротил. Бьют об асфальт черепами. Мозги вокруг и кровавые лохмотья. А из обкома новых вытаскивают: кого под руки, кого за ноги. И последним меньше мучиться: лестница высокая, успеют головы расшибить, пока дотянут до места главной расправы.

— Ах ты ж сука! За что у меня ребеночек помер от вашего комбината?!

— Кто, паскуда, сыновей моих в лагерь загнал?

— Я к тебе на прием годами ходил, жилья просил, а ты на меня и не смотрел! Глянь, сволочь, в последний раз!

— Сколько, падла, из-за тебя девки в общежитии абортов сделали? Кто распорядился — с детьми не держать?! Дайте ж мне его, люди, в руки на минутку! За доченьку мою нерожденную!

Вот девчонку волокут в школьной форме. И жадные руки к ней. Рвут с нее все. Ручки тоненькие, рот уже разбит, шейка запрокинулась...

Тут уж Зубров не стерпел. Рванулся он к девчонке, народ распихивая, — и видит, как уже клонят ее к земле, с попки последнее срывают. Каждому потешиться охота. Кому какое дело — виновата она или нет? Их-то мальцы, химией отравленные, тоже ведь ни в чем виноваты не были!

Ухватил Зубров девчонку за руку, а ее за другую от него тянут, и в морду Зуброву, и в морду...

— В очередь! В очередь, зараза, становись! Понацеплял на себя звездочек! Офицер называется, а в очередь не становится!

Получил Зубров прикладом в темя и в зубы получил. Автомат у него за спиной, пистолет за поясом. Но не дотянуться теперь до них. Давка, да еще одна рука девчонкой занята. И не стрельнешь тут, в толпе: разорвут. Тут каждый сам с автоматом на плече. Прижал к себе Зубров девчонку — живую ли, нет ли — и понимает, что тут ему и конец. Нет уже ни обкома, ни штаба дивизии, ни самой дивизии. Никто ему не поможет. А Чирва-Козырь далеко-далеко остался, аж на том углу. Ни его не видно, ни он Зуброва не видит. И сигнал не подать.

Вмастил кулаком между глаз кому-то, ногой в расстегнутый уже пах, получил по челюсти — и понял: конец. Жаль, Салымона с лопатой рядом нет, жаль, Драча где-то черти носят. И жизни жаль — но, с другой стороны — кончена правильно, как офицеру положено!

Прет Драч по соседней улице, грудь вперед, носом ветер режет. Ревет БМД. Маленькая, зараза, но сильная. И газик боевую картину дополняет. Гремит мини-колонна по пустым улицам. Добра-то, добра-то! Из каждого сада абрикосовые деревья на улицу свешиваются, и плоды в цвет вдарились. Жаль только — все ядовитой зеленью пересыпано! Если кого и кормить теми абрикосами да грушами — то только врагов народа. А как же мужику добро проезжать, с собой не забирая? И картошки по огородам — видимо-невидимо, и кукуруза уже переспела. Эх, в чайнике сварить бы десяток початков да горилкой запить. Добро, добро кругом... До чего земля богата! И все перепорчено.

— Водитель! Стой, зараза!

— Что такое?

— Нюхай! Как? Чем пахнет?

— Куревом.

— То-то, куревом! Уж три квартала, как пахнет! Что ж это означать может? Сержант Сабля?

— Это может означать, что курево душистое!

— Младший сержант Салымон?

— Это означает, что в данном городе не только выпить любят, но и покурить!

— Рядовой Аспид! Вопрос разведчику на сообразительность: что это может означать?

— Только то, товарищ капитан, что курева тут предостаточно!

— Правильно, бисов сын: фабрика тут табачная! Читал на этикетке «Прима» — «ТБЧ ф-ка Черкассы»?

Ну так вправо вперед! Салымон, за мной! Аспид — на связь, от Зуброва сигнал не проморгай! Сабля! Ящики принимай!

— Так неужели ж такую фабрику до нас никто не грабанул?

— Да грабанули ее, так не всю же! Вон Советский Союз — семьдесят лет понадобилось, чтоб весь разворовать! Тащи, Салымон!

— Товарищ капитан, так ящики ж в этой дряни зеленой!

— А ты споднизу волоки! Пыль-то, она сверху оседает! А внизу — целенькое, плюс упакованное герметически!

— Что-то от командира сигнала нет...

— А ты грузи! Нет сигнала — значит, все в порядке у него. У нас и по радио связь, и ракету он в воздух может послать, синего огня, и из автомата пальнуть. Тихо — так ты грузи, грузи! Командир нам за это спасибо скажет!

— Нет, товарищ капитан, вы тут грузите, а я командира проведаю!

— Стой, Салымон, приказ мой слушай!

Но Салымон уже вскочил в газик, Аспида на водительское место бросив. Показал Аспиду кулачище такой, что у того сразу сомнения отпали: капитана приказы выполнять или младшего сержанта. Взревел ГАЗ-166, и за поворот унесло его выхлопной дым.

Несется Салымон по улице, и уже чует душа его недоброе. Люди попадаются, да суматошные все, глаза у каждого с мелкой ненормальностью. И уже чувствует Салымон, что Зуброву негде быть, как в самой свалке.

— А ну разойдись! — гребет Салымон народ вправо да влево. Ледоколом арктическим прет. Лопатой своей над головой крутит, как вертолет. Вон командир! Вон он!

— Ах, разойдись, зашибу! — И шибет Салымон.

Ухватил Зуброва, из толпы тащит. А Зубров девку за собой потянул.

— Да вы, товарищ полковник, девку-то бросьте!

Не реагирует полковник. Вроде ум у него отшибло.

Что ж, потащил Салымон обоих из толпы. Вот и Аспид с машиною, вот и Чирва-Козырь с другой. В первую прыгаем! Влетели Салымон с Зубровым в газик, девку прихватя. А уж Аспид педаль в пол вдавил. Тут и стрельнуть можно. Салымон длинной очередью привет толпе шлет. Не по головам, конечно, а чуть выше. Жалко людей кровянить: благородным делом заняты, обком штурмуют. Ну, конечно, не без перегибов — так ведь столько лет терпели! Эх, другой бы расклад — Салымон и сам бы с удовольствием поучаствовал. Кто маму-папу сгноил, кто меня в интернате куском попрекал, а?

Но, с другой стороны, не на детях же отыгрываться! Глянул Салымон на девку, которую Зубров все еще придерживал за плечо — нет никакой девки! Как котенок за шкирку — висит на руке командира детеныш женского пола. Ей еще до девки года три из лифчиков-трусиков вырастать. Скинул Салымон куртку, да того детеныша замотал, как пеленашечкой: не сиди голой среди мужиков. Тут Зубров голос подал:

— Салымон!

— Я, товарищ полковник!

— Связь давай.

— Есть связь.

— Брусникин, Брусникин! Слышишь, я Зубров!

— Слышу!

— Погоня за нами, пару взводов навстречу гони!

— Понял!

— Свяжись с Драчом, матерни от моего имени, пусть тылы мне прикроет. У него, гада, броня и мощь огневая.

— Понял.

— Как там у тебя?

— Отбиваемся, товарищ полковник.

— Этого еще не хватало! От кого?

— Да прут какие-то, видно, бронепоезд наш понравился.

Тут вдали пару раз ухнула танковая пушка, подтверждая, что идет нешуточный бой.

— Брусникин!

— Я!

— На месте не стой! Маневрируй! Цель из себя хорошую не делай.

— Понял.

— Да далеко не уходи.

— Понял.

— И врача наготове держи.

— Нету врача, товарищ полковник. Короткой очередью насквозь прошило. Три входных — три выходных. Прием.

Но не было на это больше времени: за ними с гиком и свистом неслись тачанки, велосипеды, древние мотоциклы и даже почтенного возраста БТР-152.

— Жми, Аспид!

Аспид жал. Уже ясно было: ушли. Салымон, распираемый радостью, поинтересовался:

— А что это вы, товарищ полковник, бледный такой?

— А ты на себя посмотри!

Эшелон рванул с места назад немедленно, как только прибыли все три машины. Ясно было: тут не прорваться, надо идти через Ростов. Груз был цел. Американец тоже. По словам Брусникина, он держался молодцом: не паниковал и под ногами не путался. Задние вагоны вообще не пострадали: нападали спереди. Мертвых и раненых подсчитывали уже на ходу.

Трудно задом наперед тяжелому эшелону. Вновь на горизонт выплывают недавно еще смрадно дымившие, а теперь мертвые трубы химкомбината. Плывут мирно корпуса заводские, чахлые деревца, хрущевские пятиэтажки и снова корпуса. Кусок оборванного троса на ветру скрежещет по металлическому боку ржавого резервуара. Ветер гонит по степи пыльные смерчи. Копоть, дым, смрад, тоска.

— Говорит первый. Всех командиров подразделений на селектор. В вагонах осмотреться. О потерях доложить. Железнодорожный взвод?..

— Тепловоз и цистерна в порядке. На бронеплощадке вмятины. Расход боеприпасов — шесть стодвадцатипятимиллиметровых и восемьсот девяносто пять двадцатитрехмиллиметровых снарядов. Убит — один, командир первой башни. Ранено трое: наводчик первой башни и двое сцепщиков.

— Со сцепщиками ясно. А как же их в башне угораздило?

— Они из люков высунулись посмотреть на результаты своей работы.

— Салымон!

— Я!

— Подберешь в девятом взводе пару толковых ребят в первую башню. Тренировки день и ночь. Чтоб освоили!

— Есть.

— Саперный взвод?

— Потерь нет.

— Взвод связи?

— Погнута пара антенн. Устраняем.

— Транспортный взвод?

— Трое убито, семь ранено. Обе БМД и девять ГАЗ-166 — в порядке. БМД грузили с трудом. Все потери людей — на погрузке. Один ГАЗ-166 сильно поврежден и брошен у полотна. Грузить не было смысла и времени.

— Правильно. Отделение обеспечения?

— Убит врач и все трое санитаров. Они пытались оказать помощь сцепщикам, но в этих местах повязку с красным крестом не признают.

— В боевых взводах? Первый? Второй? Третий?.. Девятый?

— Потерь нет. Нет. Нет. Нет...

— Батальону! Нам всем крупно повезло. В этой выемке достаточно было позади бревно на рельсы бросить, а после весь батальон огнеметами изжарить. Повезло. Действовали все хорошо. Командирам подразделений к вечеру представить списки отличившихся. Лично я в бою видел только несколько человек. Кого следует наказать, накажу. А отличаю сержанта Салымона. Сержант Салымон!

— Я! — звякнул селектор.

— За проявленную инициативу и храбрость, за спасение жизни командира объявляю благодарность с присвоением воинского звания старший сержант!

— Служ. Сов. Союзу!

— За все годы службы ни одного повышения, а тут за одну неделю — сразу три. Ох, Салымон, быть тебе генералом.

— Рад стараться!

— Батальону! У вокзала — остановка. Все взводы с четными номерами — оборона правее эшелона. С нечетными — левее. Расцепляем эшелон. Перегоняем тепловоз в самый хвост. Бронеплощадку — на поворотный круг и вперед тепловоза. Затем полное переформирование состава: платформы с БМД и ГАЗ-166 должны оказаться в самом конце. Обе БМД обложить мешками с песком и по возможности больше снимать с платформ не будем: использовать как огневые точки. Вопросы?

— Нет.

— Приближаемся к станции. Батальон — к бою!

Много Драчу работы. И то не забыть, и это сделать, там углядеть, тут не прозевать. Носится он по вагонам, кричит, ругается, наставляет, подсказывает. А как только свободная минутка выпадет, так и вспомнит капитан, что не наказан еще.

Хорошо служить с дурным командиром, с таким, который психологии не понимает. Провинился, а дурной командир сразу взысканием тебя — хрясь по загривку, оно и легче. А еще дурной командир сразу кричать начинает, тут и огрызнуться не грех. А вот как попадешь к такому Зуброву — и мучайся. Драч уж пару раз на командирском пути показывался, словно айсберг по курсу «Титаника». Хочет хитрющий Драч поскорее узнать, как его Зубров накажет, чтоб не маяться, значит. Но Зубров тоже слегка в психологии понимал. Не наказывает, и все тут, и не кричит. Ходит мимо, вроде айсберга и не замечает. Приходится айсбергу при приближении «Титаника» в сторону отскакивать, оставаясь незамеченным.

Долго мучился Драч, наконец не выдержал, стукнул в командирскую дверь.

— Разрешите войти, товарищ полковник?

— Ну, войди.

Помялся Драч у входа, не зная, как и начать, но и Зубров молчит.

— Вы б, товарищ полковник, наказали меня...

— А за что?

— Увлекся я на этой фабрике проклятой...

— Как же тебя наказать?

— Расстреляйте меня, товарищ полковник, — говорит Драч, а сам думает: это ж надо таким змеем быть!

Мне ж самому и наказание себе выбирать приказал, а маленькое выбирать неудобно...

— Ладно, Ваня, хитрый ты мужик, мне тебя, видать, не перехитрить. Если бы ты выговора попросил, так я б тебя расстрелял. А раз расстрела просишь, так даже и выговор объявлять неудобно. Под арест тебя сажать некуда. Держать в купе под домашним арестом тоже не очень удобно, кто ж тылом править будет? В общем, так, вес тебе все равно надо сбрасывать: девчонки, как я наблюдаю, на тебя поглядывают. Так вот для этой твоей же пользы наказанием будет трое суток лечебного голодания.

— Есть десять суток лечебного голодания! Разрешите идти?

— Разрешаю!

Глава 8

БУДНИ

Утро раннее. Свежее. Еще и солнце не выкатилось. Роса по травам, и эшелон весь в росе, и рельсы. Будто и не было недавнего боя, будто и кровь не лилась, просыпается эшелон — с улыбкой. Да и как в такое утро не улыбнуться? Ишь как птицы галдят! Это значит: вот сейчас уже взойдет наше красное-круглобокое, и еще поживем, братцы, еще поживем!

— Поливай, поливай, воды не жалей!

Каждая остановка используется до упора: надо и оружие чистить, и умыть народ, и накормить, и караулы развести. И спешит народ военный вдоль поезда. Каждый по своему делу — по самому срочному. И котелки уже загремели, и ноздри солдатские настроились на волну запаха: что там Тарасыч сегодня умудрил?

— Поливай же, змей, поливай!

Много ли намоешься в том вагонном умывальнике! Не привык солдат воду горсточкой черпать. И потому высыпал весь батальон к водокачке станционной, льет воду на себя ведрами, льет брандспойтами. Тесно, да весело.

— А ты в штаны-то не лей, не лей, дьявол! А то уж я тебе налью!

И кому-то в вагон ведра тянут. Это караульным, конечно, — тем, кому от дела отрываться нельзя.

— Сержант Березов!

— Я!

— Из твоего взвода наряд на кухню в полдень!

— Мочалка!

— Я!

— А ствол танковый дядя чистить будет?

— Всем машинам, вчера в деле побывавшим, — техосмотр!

— Бизон, мать твою, а ты хлеб на взвод получил?!

— Девушку, девушку пропустите!

— Девушка, а вам ведерочко не помочь донести?

— Девушка, а вы случаем не Катериной зоветесь?

— Расступитесь, жеребцы, женщин пропустите, не время кобелировать!

— Седьмой взвод, строиться! С котелками!

— Ай, Тарасыч, не жалей! Не жалей, Тарасыч! А ну, подкинь еще такую ложечку!

Тарасыч, любимый всеми за типичную свою поварскую внешность и доброту, ухмыляется в усы, однако поблажками не балует. В котелок протянутый — плюх черпак каши, и отваливай. Следующий, так тебя растак! Не задерживай!

— Эх, Тарасыч, жаден ты сегодня! Что котелок-то неполный! Если со всего батальона по полкотелка наэкономишь — то это сто пятьдесят полных выйдет! Ведь сам-то все не прожуешь!

— А вот я тебя черпаком по черепку звякну за подозрения такие! Ишь, умник, Тарасыча уличить собрался!

Да ты у мамы в пипке сидел, когда мы с ребятами Саланг-перевал держали!

— Да ты, Тарасыч, не скрипи! Обиделся, что ль? Я ж шутя!

— Как же ты, Тарасыч, Саланг-перевал держал? Чем от душманов отбивался? Не поварешкой ли?

Масло большими кусками режут на целое отделение, а хлеб — буханками, тоже на отделение. Плащ-палатку отделение расстилает поодаль и устраивается уютным кружком. Семь человек — две буханки хлеба. Масла если не вволю, то много. И по котелку каши гречневой с тушенкой. Масла в кашу Тарасыч не жалел.

— Слышь, Сашок, а ты зря на Тарасыча.

— Да сказал же — в шутку! Во народ, юмора не понимает!

У вагонов партийных боссов — объявление: «Политинформация проводится ежедневно на первой остановке. Дополнительные семинары — по желанию участников. Явка на политинформацию — обязательна».

К нему уже привыкли, не смеются даже. Разумеется, на эти политинформации никто не ходит, за единственным исключением. Поль Росс человек любознательный и не упускает случая понять побольше о России.

Придя с очередной политинформации, он ошарашивает Драча заявлением:

— Если вы даже убитым счет не ведете, то как же вы научитесь деньги считать?

— Как это убитым счет не ведем? Ты что, офонарел?

— «Офонарел» — это как?

— Неважно, это выражение такое. Ты мне сердце не трави! У меня друзей убивали — так я их всех помню!

— А я сегодня спросил товарища Званцева, сколько миллионов убили за коммунизм. Я читал вашего Солженицын и хотел знать, есть ли это правда. Товарищ Званцев сказал: Солженицын есть клеветник, а теперь перестройка. Но сколько убили за коммунизм, товарищ Званцев не сказал, а сказал — это неважно, важна идея. Клеветник считает, коммунист не считает... Трудная страна!

— Да наплюй ты на Званцева! Врет он все.

— А кто не врет?

— Ты смотри, Поль, сам. Котелок варит?

— «Котелок варит» — это как?

— Неважно, это выражение такое. Я хочу сказать: ты смотри и думай — и все поймешь, если, конечно, в нашей каше вообще разобраться можно. Дядю не спрашивай.

— Спрашивать надо. Есть разные мнения, Иван, и в каждом своя правда.

— Правда одна, Поль. Только до нее нам еще топать и топать.

— «Топать» — это как?

Оба успели уже привязаться друг к другу. Зубров был занят почти все время и только частью мог участвовать в их разговорах. Поль стремительно набирал русский язык, Драч усвоил кое-что из английского (разумеется, с правильным американским произношением). Им очень нравилось спорить.

— Слышь, ребята, а командир-то наш девку свою даже на остановке не выпустил! Ну, первая ночь — я понимаю — его право... А дальше — что ж он про народ забывает? Как ни крути — вроде нехорошо получается...

Разговор шел в солдатском купе, где за чайком собрались все шестеро законных обитателей плюс девицы: Сонька, Зинка и Рая. Сонька немедленно взвилась:

— А вы что, кобели, хотели бы, чтоб он ребенка вам кинул, под колхоз? Нас вам мало, вам еще и дитя подавай!? А как отколхозите — так и быть ей блядью до конца дней? Сами ж, паскуды, иначе не назовете! А ее вы спросили, хочет ли она в таком звании жить?

— Да ты, Сонь, чего? Ты не психуй! Да как ее спросишь, раз она из купе командирского не выходит? А может, ей хочется?

— Га-га-га!

— И правильно делает, что не выходит — к таким-то бандюгам! У меня отчим был такой, как вы, — тоже думал, что мне хочется! А мне еще пятнадцати не было... Я из дома тогда сбежала, мы в трубах ночевали... Потом, конечно, воровайкой стала, колония малолетних преступников... Тоже, между прочим, воспитатель думал, что мне хочется! Только там уже деться было некуда. Львовская колония — на Замковой горе, не сбежишь. Девки пробовали... Тут Сонька вдруг разревелась, и все утихли.

— Ну ты чего, Сонь? Ты не плачь! Мы ж к тебе — со всем уважением!

— Знаю я ваше уважение! Жеребцы! В общем, так: это здесь у меня кликуха Пуфик. А в лагере знаете какая была? Вырви Глаз! Так вот, если кто из вас девчушку обидит — зуб даю, я свою кличку оправдаю! Один из вас, бандюг, нашелся — дитя от насилия спас, так вам теперь неймется?!

— Да ладно, Сонь, зачем нам та соплячка, если есть настоящие женщины? Мы тебя жалеем, ты нас жалеешь... А у сцыкух этих ни на кого жалости не хватает, кроме как на себя.

Сержант Березин прижал Соньку к себе, и она затихла.

Оксане было бы очень обидно слышать его слова, но, по счастью, она не слышала. Она проснулась только что и не сразу поняла, где находится. Колеса стучали и сбивали ее с толку. Мамочка, куда это меня везут? Тут она вспомнила, как в последний раз видела маму: и голоса было не узнать уже, и лица. Как жить без мамы — она не представляла. Ей стало очень жалко себя, и она заплакала.

На следующей остановке, под вечер уже, к командирскому купе направилась Любка с узелком.

— Товарищ полковник!

Зубров высунулся из окна.

— Выйдите, пожалуйста, разговор есть!

Это Зуброву вовсе не понравилось. Конечно, он знал, что в эшелон затесались проститутки, но пока они были на нелегальном положении — и не протестовал особенно. Хлопцам нужна забава, и пока этих девок было не видно, не слышно — он мог смотреть на них сквозь пальцы. А тут, похоже, его вызывают на то, чтоб он их заметил... Но не отступать же было. Он вышел.

— Докладывайте.

— Товарищ полковник. Мы тут — ну, словом, все девочки — вещички собрали. Для малышки этой. А то ж она раздета вся. Ничего такого похабного, мы ж понимаем... Свитерки там, трусики, носки теплые. Верхнее она пускай лучше солдатское носит, чтоб эти кобели не кидались, а нижнее — вот. Вы уж не побрезгуйте, не обижайте девчонок. Они — от чистого сердца!

— Ну, спасибо. Как звать-то тебя?

— Любка.

Зубров внимательно на нее посмотрел, помолчал.

— Спасибо своим девочкам, Любка, скажи. Выручили. Я уж думал в портянки ее заворачивать. Жалеете, значит.

— Как не пожалеешь? Мы ее вчера видели — все ребрышки наружу и рот в крови. Оно ж еще дитя, за что ей наши беды! Вы уж за ней присмотрите, товарищ полковник! Мы тут на птичьих правах, а вы в случае чего защитите. Ну, я пошла.

— Иди, Любка. Не обижают вас?

— Не, ребята хорошие. До свиданья, командир.

Зубров приволок узел в купе. Девочка как была в салымоновой куртке, достающей ей ниже колен, забилась в угол на койке. Вчерашнюю ночь она тут пробыла одна: у Зуброва были дела поважнее, чем приглядывать за девчонкой.

— Вот тебе одежки всякие. Солдатскую форму выдадим своим порядком. Через полчаса зайду — чтоб готова была! Девочка даже не спросила, к чему такому ей надо быть готовой. Похоже, она была немая, но это Зубров намеревался разъяснить позже. Он сказал Драчу насчет десантной формы малого размера, и через полчаса навстречу полковнику поднялся мальчик-солдат, нестриженый только.

— Как тебя звать?

— Оксана.

— А фамилия есть?

— Харченко.

— Сколько тебе лет?

— Семнадцать почти...

— Что значит почти?

— Через месяц будет. Я в десятый класс перешла.

Тут Зубров вспомнил, что где-то на свете есть школы, куда ходят дети, и там уже начался учебный год. Или должен был начаться.

— Почему ты в обкоме была?

— У меня папа там работал. А два дня назад приходит и говорит мамочке: началось, собирайтесь быстренько. На вертолетах, говорит, забирать будут. Сутки мы там просидели. А потом...

— Что потом — я видел. Да не реви ты, господи! Никто тебя тут не обидит. Жить будешь тут, на довольствие поставим. А высадим в безопасном месте. Зубы-то все целы?

— Кажется, да.

— Вот и хорошо, а то тут у нас врача нет. Отсыпайся. Душ тут рядом и сортир. Из вагона не выходи без спросу.

— Дяденька!

— Что? — Зубров опешил. Никто его так еще не называл за всю его жизнь.

— А куда мы едем?

— В Москву, племянница. Кашу тебе сейчас принесут. Поешь и спи давай.

На короткой остановке поезд набирал воду. Драч маялся. Он чувствовал себя последним идиотом, хоть и понимал, что с каждым может случиться. Ну, попал в глаз кусочек горячего шлака, ну застрял, так что и не видно его, и вытащить невозможно, и промывание не помогает. Но хорош теперь капитан, беспомощно моргающий и проливающий слезу! А другой глаз, подлюка, видимо из солидарности с поврежденным, моргает ему в такт, окончательно сводя на нет командирский взгляд. И левая рука все норовит пострадавший глаз потереть, все надеется, что смахнет соринку.

Может быть, все это паскудство и называется безусловными рефлексами, только ему, Драчу, от этого не легче.

— А что это у вас, товарищ капитан, с глазиком случилось? — услышал он за спиной медовый голосок. Драч обернулся, намереваясь огрызнуться, и осекся.

Из окна вагона, в трех шагах от него, улыбалась хорошенькая бабенка, причем с явным сочувствием, без подначки.

— Да вот, девонька, вроде тебя любопытный был, из окошка на ходу высовывался и заработал подарочек. Врача у нас теперь нет. Три часа тру к носу — и все никак не выходит.

— А вы ко мне заходите, я выну!

Драч, слегка поколебавшись, полез в вагон.

— Который глазик обидели? Ну-ка! Да не дергайся, чорнобривенький!

Не успел Драч опомниться, как вспухшие его веки были бесцеремонно оттянуты, и кончик розового язычка прошел туда-сюда по глазному яблоку. Потом его отпустили.

— Ну как?

— Ой, девонька, дай проморгаться!

С изумлением и восторгом Драч почувствовал, что все в порядке.

— Это откуда ж ты такой метод выкопала?

— Бабушка научила, — скромно ответила спасительница, и тут только Драч разглядел, что фигурка у спасительницы идеальная и обтягивающий костюмчик вроде тренировочного вовсе не предназначен, чтобы это скрывать.

— А как же тебя, голубонька, зовут?

— Любка.

— Ой же и имечко какое сладенькое!

— Ну, вы и скажете!

— А ты давай теперь и второй глаз, а то он обидится.

Эту ночь Любка провела в купе у Драча. И следующую тоже.

Любка заварила чай и поплотнее закуталась в оренбургский платок. Драч был на ночном дежурстве, и она с нетерпением ожидала утра. Ей очень нравилось заботиться о Драче. Уж больно он благодарно реагировал. Будь то заштопанный носок или выстиранная рубашка — он моментально все замечал.

— От же ж голубонька моя, за всем досмотрит!

В разговоре с Любкой он вставлял украинские словечки, а то и совсем переходил на украинский, чего с ним никогда не случалось в официальных разговорах. Любка была теперь убеждена, что ласковее украинского языка нет на свете. К восторгу Драча, она выменяла на станции украинский рушник с петухами за банку тушенки и постелила его на столик у окна. Девчонки не могли налюбоваться Любкиным гнездышком и забегали сюда под любыми предлогами — разумеется, когда Драча не было.

Они радовались за Любку без тени зависти. Да, строго говоря, чему тут было и завидовать? Дойдет эшелон до места назначения — и кончится все Любкино счастье. Ведь не женится же на ней Драч, в самом деле! Поэтому Любка была единственным человеком на поезде, мечтавшим, чтобы это путешествие никогда не кончилось.

В дверь ввалились, почти одновременно со стуком, Сонька Пуфик и изящная Зинка Гном в полной боевой раскраске. Они только что вернулись с ночного рейда по партийным вагонам.

— Ух ты, Люба моя, узнаю платочек! Дай-ка вязку глянуть... Точно, наша!

— Чего — ваша? — не поняла Любка.

— Оренбургской зоны продукция — вот чего! Я ж там сидела! Я таких точно знаешь сколько навязала? У нас начальница была — кровь из зубов! Чуть норму не выполнишь — пятнадцать суток. А ШИЗО там было — на носилках выносили!

Любка припомнила, что Сонька, и точно, сколько-то сидела то ли за мошенничество, то ли за нарушение паспортного режима. Ей почему-то стало неловко, и она повела плечами под платком:

— Вот так носишь-носишь — и не знаешь... Может, на нем чьи слезы...

— Ничего, носи! — жизнерадостно заявила Сонька.

— Для своей сестры не жалко. Это только противно, когда в таких платках матерей в кино показывают — с понтом символ родины. Нам такое кино раз в лагере крутили. Так девки как увидели — так и хором заорали:

— Мамочка, не бросай меня в колодец!

Ну, свет, конечно, зажгли, разбирательство... А хрен найдешь, кто в темноте кричал!

— Ты у кого сегодня была, Зин? — спросила Сонька без всякого перехода.

Зинка Гном скорчила рожицу:

— У Борова. Ну ж и паскуда!

— Секретарь обкома — что ты хочешь.

— Он, когда совсем раскочегарился, стал мне сулить, что к себе в секретарки возьмет. Я сразу усекла, что он плату зажилить хочет, а вместо того будет кормить светлым будущим.

— Специальность у него такая, Зинуля! — рассмеялась Любка.

— А ты что?

— А я ему говорю с понтом, что я неграмотная. А он говорит — это не влияет, если я буду служить с душой.

— Ишь на что рот разинул! Что ж ты, Зин, ему одной фигурой не угодила?

— Не смейтесь, девки, у меня и так нервы наружу. Кончил, зараза, и сразу надулся: без штанов, а важный. И все поторапливал, пока одевалась. Как до платы дошло — стал финтить. Колбасу отдавать не хотел и сразу идейную базу подвел: продукт, мол, дефицитный, может для большего пригодиться. А я, мол, молодая-здоровая, мне колбасу есть — только фигуру портить. Я его спрашиваю: кто ж у нас в поезде болен? Давай, говорю, колбасу — я отнесу. А он мне: «У меня печень больная!»

В общем, пригрозила я, что Салымону пожалуюсь. Салымон меня жалеет, он знает. Только тогда отдал. Обозвал отбросом общества напоследок. Я в порту восемь лет работала — такого не видела.

— Это точно, — подтвердила Сонька, — с моряками или со шпаной куда лучше. Фингал, правда, могут поставить по пьяни — да уж и приласкают обязательно. И лекций не читают, и платят, как договорились. А эти... Хоть бы один спасибо сказал после постели или подарил что-нибудь. Жадные они.

— Ладно, девочки! — махнула Зинка рукой. — У меня сегодня день рождения, гулять будем! Режь, Люба, колбасу: испортим фигуры!

Тут в купе влетела Катька Цыпа с несессером в руках и бутылкой под мышкой.

— Ой, девки, что я расскажу — со смеху вымрете! Только давайте выпьем сначала.

Усевшись рядом с Любкой, она бросила несессер на столик.

— Угадайте, что тут!

— Не тяни, рассказывай.

— Снял меня, девки, сегодня Ушастик. Тот, что начальник одесской таможни, знаете? Завел в купе, свечку зажег пахнущую. Глазоньки так и бегают у старого хрена, как у мальчишки. Раздевайся, говорит, ложись и глаза закрой. Я легла и, конечно, смотрю одним глазом: кто его знает, что он удумал? А он чехольчик этот раскрывает и давай меня картами обкладывать, и все — кверху рубашками, а что на рубашке, мне и не разглядеть. А потом как зыркнула — чуть свои трусы со смеху не проглотила. А он дрожит весь, слюна течет, и карты руками гладит, а ко мне хоть бы притронулся. Потом на пол сел и затих. Я перепугалась, вдруг, думаю, помер. А он с закрытыми глазами лежит, похрюкивает. И рожа блаженная. Я его расталкивать не стала: пускай кайф ловит. Оделась быстренько, бутылку вот прихватила в виде гонорара и чехольчик с колодой.

Катька раскрыла несессер. Он был полон порнографических карт.

— Что ж ты, лахудра. Ушастика сексуального счастья лишила?

— Не лишила, не бойся! У него таких чехольчиков чемодан целый. Я видела, он выбирал еще. Чтоб начальник таможни без порнухи остался — не смеши! Любка, ты у нас гадать специалистка. А ну раскинь, ручку позолочу!

— Раньше Зинке, у нее день рождения.

— Ой, Зинуля, поздравляю! Не знала!

Под смех и восторженные визги Любка объявила каждой, «какой король на сердце лежит», «чем сердце успокоится», и под конец нагадала Зинке невиданного, небывалого счастья.

— Кризис Совета Безопасности ООН!— рявкнуло вдруг так громко и неожиданно, что майор Брусникин вздрогнул. Использовать установку правительственной радиосвязи для посторонних целей и без того запрещалось строжайше, а уж слушать вражеские радиоголоса было почти преступлением. Тут бы уж и полковнику Зуброву не поздоровилось от начальства. Но, убавивши звук, продолжал он слушать с жадностью, тем более что новости были ошеломляющие. Будто бы, как огромный волдырь, нывший и нарывавший многие десятилетия, лопнул теперь наш земной шарик сотнями конфликтов. Войны раздирали мир по всем швам. Северная Корея дралась с Южной, Камбоджа и Вьетнам опять истребляли друг друга. Китайская Народная освободительная армия осаждала Улан-Батор, успешно освободив большую часть «Внешней Монголии», а отряды сальвадорских партизан из организации Фера-бундо Марти подходили к Мехико-Сити. Опять воевали Иран с Ираком, Сирия полностью оккупировала Ливан, а полковник Каддафи во главе своих войск шел на помощь своему другу полковнику Менгисту, терпевшему поражение от повстанцев Эритреи.

Не лучше было и в Европе. Румынская армия сражалась в Трансильвании с местным населением и частями венгерских добровольцев, болгары и турки резали друг друга вдоль всей границы, Югославия распалась на шесть частей, и даже на границе между Польшей и Германией продолжала нарастать напряженность, вызванная движением польских граждан немецкого происхождения за полную отмену Ялтинских соглашений. Совет Безопасности ООН заседал практически непрерывно, но никакого решения найти не мог. Все стороны разом требовали посылки войск ООН в зоны своих конфликтов и, таким образом, ничего не получали, блокируя друг друга.

Впрочем, Совет Безопасности и не спешил посылать наблюдателей в эти регионы, особенно после того, как несколько таиландских и финских частей, посланных занять позицию между Арменией и Азербайджаном несколько месяцев назад, исчезли совершенно бесследно. Попытки отыскать их не привели абсолютно ни к чему. Армянское радио неизменно заявляло, что «ныкакими свэдэниями о наблюдатэлях ООН Армянский радыо нэ распалагаэт» и убедительно просило не задавать больше вопросов. Вот и все. Только правительство Ирака неожиданно сообщило, что у некоторых пленных иранских солдат были обнаружены голубые каски.

Изумленный всем этим шквалом новостей Брусникин пошарил в эфире, пытаясь выяснить, что же происходит в Союзе, но ничего утешительного не обнаружил. Эфир был заполнен военными маршами, призывами и сводками военных действий в разных уголках страны.

«Що за шум, що за гам учинився?
То Савела на Вкраине появився» —

слышалось откуда-то с юга разудалое пение.

«Так за Царя, за Русь, за нашу веру
Мы грянем громкое ура! ура! ура!» —

откликались с севера монархисты, а из Калининграда тем временем неслось:

«Смело товарищи в ногу
Духом окрепнем в борьбе...»

То «интернационалисты-ленинцы» начали военные действия против «ревизионистов и ренегатов».

«Сегодня на рассвете, после продолжительной арт-подготовки части победоносной 6-й Ударной армии штурмом взяли город Караганду. Противник отступил, понеся тяжелые потери», — доносилось из Средней Азии.

«Под перезвон колоколов и дружное пение горожан выступило сегодня из города в поход Новгородское на-родное ополчение с хоругвями в руках и с молитвой в сердце», — вещала далекая северная станция. Но по-нять, куда же двинулось ополчение, с кем воевать, было невозможно. А в то же время зажатые в Карпатах два полка войск КГБ, прихватившие с собой несколько межконтинентальных баллистических ракет с ядерны-ми боеголовками, грозились взорвать весь мир к чер-товой матери, если им не обеспечат беспрепятствен-ный проход в Албанию.

«Боже ты мой! — с ужасом думал Брусникин. — Что же делается? Где же Москва, Генштаб, ЦК?» И лихорадочно крутил ручки установки, пытаясь, наконец, выяснить, что же предпринимает в сложившейся обстановке централь-ное руководство? Но попадалось ему все, что угодно, кро-ме Москвы. Самара насморочным голосом диктовала проект новой Конституции, предложенной Временным правительством социалистов-реформаторов:

«...за исключением двенадцатого параграфа статьи де-вяносто девятой. В целях достижения абсолютного рав-ноправия всех граждан перед законом...» Тьфу, прова-лись ты! Но вместо Самары возник бойкий говорок, не то вологодский, не то костромской, затолковал, сильно окая, о Поморье и русском Севере, исконных славянс-ких землях. Да что ж это, мать честная? Куда запропас-тилась Москва? Уж не взорвалась ли? И, точно пожалев его, возник и заполнил все пространство приветливый радостный голос:

«В эфире радиостанция «Маяк». С большим успехом завершился визит Президента СССР, Генерального секретаря ЦК КПСС Михаила Сергеевича в Индию. Позади многочисленные встречи с руководством страны и ее общественностью, выступления перед студентами и деловыми кругами. Выражая всенародное восхищение революционными переменами, вызванными в нашей стране перестройкой, мэр города Дели подарил на прощание советскому Президенту белого слона, традиционно являющегося в Индии символом глубочайшего уважения».

Брусникин так и сел, разводя руками: А в это время в далекой Москве точно так же недоуменно разводил руками Хардинг: «И что же, черт их всех возьми, писать теперь в отчете Госдепу?»

Глава 9

ИДЕОЛОГИЧЕСКИЕ ПРОБЛЕМЫ

Стоп машина! Рельса поперек пути. Только тормознул Золотой эшелон, как в чистом поле перед ним парламентер с белым флагом возник.

— Парламентера ко мне.

Входит в командирскую рубку поручик, точно как из фильма о Первой мировой войне, только настоящий. Лихо козырнул и представился:

— Господин полковник, поручик Смоленский, честь имею.

— Что угодно, поручик? — спрашивает Зубров, а сам сообразить пытается, не во сне ли это. Уж лет семьдесят, как нет у нас поручиков. Нет таких вот щеголей, весельем разрываемых. Нет того офицерства. Всех извели. А ведь были времена, когда каждый офицер гордился своим полком, а полк гордое имя имел и вековую историю. Нет уж тех полков и не принято спрашивать офицера, какого полка: тайна. Да и сами полки, кроме номеров, ничем друг от друга не отличаются.

— Господин полковник, я пропущу ваш эшелон по своим территориям с условием: вы оставите мне всех коммунистов.

— Нет у меня в поезде коммунистов. Можете проверить.

— Зачем проверять? — удивился поручик. — В России, господин полковник, офицер офицеру всегда на слово верил.

В словах поручика прозвучало такое превосходство, что Зуброву стало неуютно в своей собственной рубке.

— Господин поручик, я еще раз сам проверю свой эшелон и сам разберусь с коммунистами, если они обнаружатся.

— Великолепное решение, господин полковник. Проезжайте. Желаю вам счастливой дороги, особенно в самом ее конце.

На том и раскланялись. Щелкнул поручик каблуками так, как щелкали в те давние времена, и уже в спину ему Зубров, вспомнив фильм о старине, в шутку спросил:

— Вы какого полка, поручик?

Развернулся поручик лицом к полковнику Зуброву и ответил, не шутя:

— Лейб-гвардии Преображенского, господин полковник.

— Поручик, не окажете ли честь выпить со мной водки?

— Благодарю, господин полковник, не откажусь.

— Садитесь. Что изволите?

— «Адмиралтейскую», если окажется.

— Окажется. Ваше здравие.

— Благодарю, господин полковник.

— Поручик, лейб-гвардии Преображенский полк может существовать только при условии, что найдено полковое знамя.

— Оно никогда не терялось. Русские офицеры вывезли его в свое время и передали на хранение старейшему из полков британской армии.

— И британцы его сохранили?

— Конечно. Более семидесяти лет они хранили полковое знамя вместе со своими знаменами.

— И теперь оно... У вас?

— Теперь оно у полка.

— Со всеми четырьмя датами?

— 1683—1700—1850— 1883, — без запинки отрубил красавец.

— Поручик, а не согласитесь ли вы принять от меня в подарок партию оружия?

— Нет, господин полковник, благодарю. Лейб-гвардии Преображенский полк или добывает оружие в боях с врагом, или получает его из рук того, кому полк присягнул.

— Но полк присягает только коронованным особам...

— Это правда, но не вся. Действительно, особы коронованные всегда были полковниками в нашем полку. Впервые полк присягал своему создателю, одиннадцатилетнему мальчику, и мальчик был коронованным, а потом бывало всякое. Полк много раз менял судьбу России, меняя правителя.

Вместо коронованного ставим некоронованного, а уж потом ему присягаем. Но не каждому: вот Николаю Палкину полк присягать отказался. Полк присягал последний раз Временному правительству, о чем до сих пор сожалеет, а с тех пор нет никого, нет нам достойного полковника, которому мы могли бы присягнуть.

— А жаль, поручик.

— Жаль, господин полковник.

— Ничем в этой ситуации не поможешь. До свидания.

— До свидания, господин полковник. Вам никто не помешает до самого Днепра. Пересечете Днепр у Запорожья, а дальше уж не наша территория.

— А кто там за Днепром?

— Там Савела.

— Любка, а Любка!

В дверь купе просунулась рожица Зинки.

— Не пропустите цирк! Побежали скорей!

— Это еще куда? Скоро трогаться будем, сумасшедшая!

— Не, теперь задержимся — точно! Вожди к Зуброву направились. Чтоб меня покрасили — будут права качать! Я только из туалета вылезла — вижу, идут. Загривок, Ушастик и еще один, я рожу не разглядела. Пока поезд стоит — пошли посмотрим сеанс. А вырядились как, видела бы ты! При галстуках, в пиджаках, Загривок с портфелем даже.

Возле командирского вагона стояли Зубров и Драч. Кухня уже свернулась и загружена была обратно, эшелонный люд стягивался к вагонам. Подбежал Росс — в одних джинсах, с полотенцем вокруг пояса. Ему очень нравилась процедура обливания у колонки, и он всегда уходил от нее последним.

— Иван, Виктор, а вы имели обливание? Или вы не успели?

— Успели, Поль, успели. Закаляйся, друг. Погоди, я тебя еще снегом обтираться научу, чудо ты мое инопланетное! — заулыбался Драч.

И тут к ним подошли трое. Зубров глянул вопросительно.

— Я первый секретарь Одесского обкома партии Званцев, — произнес тот, которого Зинка так непочтительно назвала Загривком.

— Так вот, мы с товарищами Петренко и Корковым пришли с вами, полковник, побеседовать. По поручению товарищей. Разговор серьезный, без посторонних. Пройдемте к вам в купе.

Зубров приподнял бровь.

— Докладывайте здесь. Потом я буду занят.

Званцев вскинул оба подбородка:

— Вам, очевидно, полковник, по молодости лет не доводилось обслуживать ответственных работников.

Порядков не знаете. А такая халатность, между прочим, на вашу карьеру может очень и очень повлиять. Вчера я выяснил, что номенклатура ЦК у вас находится на том же пищевом довольствии, что и ваши солдаты с офицерами.

— А вам бы чего хотелось?

Зубров произнес это тихим голосом, очень мягко, что Званцев воспринял как неуверенность. А напрасно.

— Ладно уж, полковник, так и быть, я не злопамятный. Ошибиться всякий может. На то мы и есть, чтоб молодежь воспитывать. Я вам растолкую. Паек для ответственных работников должен быть особый. Уравниловку разводить никто вам не позволит. Я понимаю, что условия походные и черной икры может и не быть. Но как бы с продуктами плохо ни было, а номенклатура должна быть выделена. Это фундамент. Социализма без этого быть не может. Или вы думаете, что наша партия больше семидесяти лет ошибалась? Так что извольте изыскать резервы.

Далее. Наш обслуживающий персонал в Одессе остался. Временно. Вы из ваших людей выберете наиболее достойных, офицеров разумеется. Кофе там по утрам разносить и прочее. Солдатам вашим запретите к нам в вагоны заходить. Сапогами грохочут, будят. Если там туалет надо почистить или что — пускай в тапочки переобуваются.

И последнее. Теснота в вагонах непереносимая. Некоторым купе на двоих делить приходится, представляете? И тут же в поезде женщины, неизвестно как проникшие. Тоже место занимают. Вы думаете, Москва вас за это по головке погладит? Я, впрочем, пока прямую связь не требую. Но уж как хотите — жилплощадь нам расширьте.

Ноздри Зуброва начали раздуваться. Драч, хорошо знавший полковника, такое уже видел и предвкушал, что будет дальше. А Званцев продолжал:

— Солдаты у вас, очевидно, не проинструктированы, кого везут. Так вы им растолкуйте. Я вот вчера вечером велел одному у нас в вагоне пол подмести, а он меня матом. Солдата тут, пожалуй, винить нельзя, он без погон не разбирается, кто есть кто. А вот командир куда смотрит?

— Это какой же солдат вас так? — поинтересовался Зубров.

— Огромный такой, больше двух метров ростом.

— Младшего сержанта Салымона ко мне! — распорядился Зубров в пространство.

— Правильно, полковник. Учитесь.

Тут в разговор неожиданно вступил Драч:

— Товарищ полковник, а ведь правы ответственные работники! Недостаточно мы к ним внимания проявили!

Зубров от удивления даже моргнул. Уж не свихнулся ли капитан? Но по лукавым глазам его понял, что нет, вменяем. А Драч вел свое:

— Комиссию надо создать, товарищ полковник. По изысканию резервов питания и площади. Уверен, что отыщутся, прикажите только!

Тут перед ними возник Салымон навытяжку, и Зубров переключился:

— Это ты, сержант, ответственного работника матом обложил?

— Так точно, товарищ полковник!

— Благодарю за службу!

— Служу Советскому Союзу! — рявкнул Салымон готовно и весело.

— А что-то сдержанный ты у меня стал, Салымон. Оно, конечно, хорошо, да ведь не всегда удается. Если все же не сдержишься — с кем не бывает! — мне докладывай.

— Есть, товарищ полковник.

— Что же касается комиссии, — обратился Зубров к Драчу, — то инициатива наказуема. Вы, капитан, ее и возглавьте. Салымона к себе в помощники возьмите, у него уже есть опыт общения с номенклатурой. И чтоб на следующей остановке вопрос был исчерпан!

— Есть!

Что затеял Драч — Зубров, конечно, не знал. Но понимал, что солдатам будет потеха, а разрядка была к месту.

Команда «По вагонам!» не сразу дошла до опешившей тройки. Им повторили ее еще раз, погромче.

Весть о том, что пославший секретаря обкома матом Салымон получил от Зуброва благодарность, а Драч на следующей остановке будет «решать вопрос», облетела эшелон в мгновение ока. Поль немедленно потребовал объяснения, какая разница между равенством и уравниловкой.

— Уравниловка — это такое равенство, которое коммунистам не нравится.

— А какое им нравится?

— Слушай, друг любезный, спроси ты их сам! Назначаю тебя членом комиссии. Будешь моим замом по теоретическому равенству. Дождись вот остановки — и задавай все вопросы по ходу пьесы.

Поезд остановился у небольшого вокзала, уже давно используемого местными жителями как придорожная толкучка. Тут орали петухи, кто-то блеял, раздавались призывы насчет семечек каленых и яичек свеженьких. Слепец в обмотках играл на гитаре, перемежая песни Высоцкого с народным творчеством насчет сиротинушки и маминой могилки. Ему подавали.

Вагоны партийных боссов обступила толпа гогочущих солдат. Сюда, в ожидании представления, собралось все население эшелона. Вынужденные оставаться на своих постах дежурные были огорчены до крайности. Драч вылез на ступеньки вагона и толкнул речь:

— Солдаты, офицеры и дамы! Нашей комиссии поручено помочь нашим ответственным работникам изыскать резервы жилплощади и питания. Их на два пассажирских вагона аж двадцать три человека, плюс один товарный вагон с их барахлом. Они, бедняги, солдатской выучки не зная, разместиться не умеют. И кушать желают дополнительно. Приказываю: во время проведения операции ответственным товарищам не хамить и руками их по возможности не трогать. Салымон!

— Я!

— Назначаю тебя своим заместителем по практическому равенству! Обеспечь явку ответственных товарищей на наше собрание.

— Есть!

И Салымон полез в вагон.

Партийные боссы, вылезая по одному, сбились в кучку. Тут из вагона послышались шум и крики:

— Я генерал КГБ! Я тебя, дылду здоровую, в Сибири сгною! С твоим Зубровым заодно!

Крик неожиданно прервался. Затем окно вагона со стуком открылось. Из него, в позе новичка в невесомости, выплыл гражданин в сером костюме. Салымонова лапа держала его за пояс брюк. Лапа разжалась, и гражданин оказался на платформе, стоя на четвереньках. Больше Салымону никто не перечил. Не прошло и минуты, как все партийные товарищи готовы были выслушать Драча.

— Товарищи ответственные работники! Мы вам сейчас поможем. Нашему командиру поручили взять вас с самым необходимым, что нужно в дороге. Семьи ваши эвакуированы раньше, стало быть, нужно вам не больше, чем поднять можете. Так вот, сейчас вам солдаты помогут вынести все, что в купе ваших находится, сюда на перрон. И из товарного вагона тоже. Потом вы самое необходимое отберете и несите к себе — все, что угодно. Только за один заход. А уж если останутся излишки — мы их тут на базаре на продукты обменяем — вот и дополнительный паек будет. Да и места побольше станет: в товарном вагоне хоть плясать сможете.

— Товарищ капитан, да как же это?! — взмолился Званцев. Да это же подрыв основ!

— А на разговоры у нас имеется мой заместитель по теоретическому равенству мистер Росс. Он ваши политинформации посещал и основы коммунизма от вас же усвоил. Мистер Росс, каковы основы коммунизма?

— Равенство и братство, капитан!

— А когда у одних есть больше, а у других — меньше?

— Тогда надо все у богатых отнять и поровну разделить. Богатых же ликвидировать как класс.

— Товарищ Росс! Вы неправильно тогда меня поняли! — закричал Званцев.

— Вот вы теорию и поскребите, пока солдаты в порядке братской помощи вам разгрузят вагоны. Первый взвод! Слушай мою команду! Вынести на перрон из этих трех вагонов всю движимость! Выполняй!

Поль озабоченно спросил:

— А ты, капитан, станешь их ликвидировать как класс?

— Не волнуйся, не стану. Сейчас они у нас не будут богатыми. Ты лучше пока свои вопросы товарищу Званцеву задавай.

— Иван, это нехорошо, что ты делаешь. Частная собственность должна быть неприкосновенна.

— Вот чудак! Они же против частной собственности! Они же за равенство! Почему не сделать им приятно?

Поль обернулся, чтобы спросить Званцева, какое именно равенство приятно коммунистам, но того уже не было на перроне. Из вагона долетал его голос:

— Пожалуйста, товарищ солдат, поаккуратнее! Дайте я сам понесу!

Пока дрожащие боссы с солдатской бесцеремонной помощью вытаскивали пожитки на перрон, Драч пошел по базарным рядам.

— Эй, бабка, почем семечки?

— А что у тебя на обмен есть, служивый?

— Много чего. Три вагона барахла. Большие люди из Одессы привезли. Приходи через полчасика на перрон да знакомых зови. На всех хватит.

Весть пронеслась по базару как пламя.

Тем временем Салымон с трудом вынес из вагона небольшую железную коробочку. Толпа захохотала.

— Эй, Тарасыч, ты пошто Салымона кашей не кормил?

— Гля, его уже ветром шатает!

— Коробочку поднять не может!

— Ставлю, хлопцы, бутылку тому, кто эту железяку к себе на плечо вскинет! — пропыхтел Салымон.

Из десятка охотников только двое смогли оторвать маленький сейф объемом не более ведра от земли. С шеи Званцева, в купе которого нашли сейф, стащили ключ.

— Виноват, товарищ капитан. Пришлось за ответственного работника руками подержаться: трепыхался. Ну мы его вместе с движимостью и вынесли, — сокрушенно доложил Драчу темноглазый солдат по кличке Аспид, и Драч Аспида простил.

— Видать, секретарь обкома рыбак заядлый! — потешались девицы.

— Вишь, грузики с собой свинцовые везет! Без них в дороге как же?

Сейф оказался полон золотых монет царской чеканки.

— Ишь какой деньгой в обкоме зарплату платят! — раздумчиво сказал Драч.

— Пожалеем, ребята ответственных работников. Каждому получку домой таскать — подорваться можно. Тебя,

Салымон, в обком работать нипочем не возьмут, и не проси: силенок не хватит.

Партийные боссы уже молчали и только заводили глаза. Один лишь начальник одесской таможни с пеной у рта отстаивал свой контейнер:

— У меня там секретная документация, ее показывать никому нельзя! — кричал он, отталкивая солдат.

— Товарищ капитан, вот этот — не знаем, как звать...

— Ушастик! — хором закричали Сонька и Зинка.

— ...Этот с ушами пихается. Не повредить бы ненароком. Вы ж приказали больно не делать...

— Нейтрализовать, не делая больно! — распорядился Драч. Тут Чирва-Козырь догадался выпросить у какой-то бабки в счет будущего обмена большой мешок. Таможенника в него посадили и перевязали мешок так, что из него торчала только возражающая голова.

Контейнер вскрыли. Он оказался полон порнографических журналов и всевозможных пластиковых и резиновых приспособлений. Под восторженный вой Салымон надул макет голой красотки и торжественно вручил ее Драчу:

— Товарищ капитан, передаю вам на хранение документ особой государственной важности!

— К Зуброву на подпись ее отнести надо! — посоветовал кто-то из толпы.

Золото и валюту, обнаруженную в большом количестве, отнесли в командирский вагон на хранение.

— Их мы, товарищи, вместе с вами в Москве сдадим, тогда и разбирайтесь, где чье! — обнадежил Драч партийных боссов.

Туда же пошли две картины Айвазовского и одна Репина, неведомо каким образом попавшие в контейнер секретаря обкома.

— Это мне враги подкинули! — тут же заявил он. — Прошу занести в протокол.

— Значит, вернем в Третьяковскую галерею, — мирно согласился на это Драч.

— А теперь, товарищи ответственные работники... да отойдите, хлопцы, дайте людям дорогу... слушай мою команду: барахло в вагоны за-но-си!

Под смех и заковыристые советы владельцы заклубились вокруг тюков, чемоданов и контейнеров.

— Меня! Меня из мешка выпустите! — кричал несчастный Ушастик.

— Товарищ начальник комиссии, я больше не буду! Смотрите, товарищ Кравцов мой чемодан поволок!

Пока начальник таможни вылезал из мешка, Званцев молча маялся возле беккеровского рояля. Он докатил его на роликах до вагонной двери, приподнял более легкий конец до уровня вагонной площадки и теперь толкал со стороны клавиатуры.

— Ишь, хозяйственный мужик! И крепкий, даром что начальство, — заговорил местный люд, с интересом наблюдавший за событиями. Но тут Званцев вдруг покачнулся, охнул и тяжело осел на перрон.

— Надорвался, касатик! — жалостливо охнула какая-то женщина.

Драч посерьезнел.

— Граждане местные! У нас на эшелоне врача нет. Куда нам этого с грыжей, или что у него там, везти? Вы бы взяли кто его к себе. Выходите — глядишь, и в хозяйстве пригодиться, а? А мы бы за ним приданое дали — чемоданчик его...

— Пожалуй, я возьму, — вызвался один дядька с возом соломы.

— Щиблеты у него больно хороши, как раз мой размер.

Сплавив жертву пристрастия к музыке, Драч начал торговлю. Поль предложил было устроить аукцион, но против этого Драч решительно возразил:

— А торговаться ж как? Видал я фильмы с аукционом — скукота! Продавец молоточком стучит и цену орет, а покупатели только пальцы поднимают... Ни тебе поговорить по-человечески, ни товар обсудить... Какая радость от такой торговли? Смотри, марсианин, как надо!

Как гроссмейстер на сеансе одновременной игры, Драч шел вдоль куч наваленного барахла, говорил сразу со всеми и с каждым в отдельности, мгновенно находил обменные эквиваленты, шутил с молодухами. Рояль у крестьян особого энтузиазма не вызвал. Только одна бабка, внучка которой окончила три класса музыкальной школы, предложила за него мешок картошки.

— Ой, бабка, креста на тебе нет! Инструмент импортный, надежный. Ты сама посуди, какого качества он должен быть, чтоб из-за него секретарь обкома себе пупок надрывал! Три мешка картошки, не меньше! А если уж один — тогда сушеным горохом возьму.

— Побойся Бога, служивый! За три мешка картошки сейчас автомат дают. А уж на горох мой Петя противотанковую дуру какую-то выменял, здоровущую.

— Автомат, бабка, по нынешним временам в хозяйстве вещь полезная. Однако ты на рояль глянь. На одни клавиши небось с целого слона бивни пошли. Не сойти мне с этого места, если твоя внучка, его увидев, от счастья заикаться не начнет!

— Штоб тебе, холера, за такие пожелания похмелиться завтра не дали — так сам заикаешь! Так и быть, прибавлю еще бочонок огурчиков соленых, и то хлопцев твоих жалеючи!

Остальные контейнеры были забиты дубленками, норковыми шубками и радиоаппаратурой. Все это Драч быстренько обменял на картошку, брынзу и сало. Бурный спор вызвал только мотоцикл «Honda», за который удалось сторговать пять поросят и бочку квашеной капусты. Французское нижнее белье местные модницы покупать отказались:

— Куда его? Все сквозит. Каждая ниточка отдельно! Раз-другой его с золой постираешь — и выбрасывай. И тепла от него никакого. А мыла у вас, служивые, нет на обмен?

Поль, вошедший во вкус торговли, заявил, что есть, целый контейнер. Однако Драч дипломатично объяснил крестьянам, что иностранец запутался в словах, иначе они бы выменяли весь их районный центр с потрохами на пару ящиков.

Потом отвел Поля в сторону за локоток и сказал:

— Ты же, друг, говорил, что на это мыло контракт подписан с кем-то в Москве? Так и придержи его до Москвы, не транжирь. А то получится — слово нарушаешь... Нехорошо!

Драч все больше убеждался, что симпатяга американец знать не знает ни про какую секретность, так и верит в мыльную версию. Ну и пускай себе верит. Приятно было думать, что он не шпион какой-нибудь прожженный, а просто одураченный Пентагоном славный парень, коммивояжер.

Глава 10

ЭТА СУМАСШЕДШАЯ СТРАНА

Валентина Бирюкова не спала уже третьи сутки. Все ее распоряжения выполнялись так, как будто приказывал сам Мудраков. Секретарь Саша то и дело готовил ей кофе, как она любила: крепкий, с гущей и крупинкой соли.

— Может, бутербродик скушаете, Валентина Сергеевна, а?

— Попозже, Саша. Поди пока отдохни на диване, я позову, если что.

После каждой чашки кофе она аккуратно подкрашивала губы и проверяла, нет ли на зубах следов помады.

Насколько мужчинам все же легче не выходить из образа на службе! Галстук поправил — и хорош. Но ничего, она, Валя, всем мужчинам форы даст. У нее женская интуиция сверх их хваленой логики.

Дело прояснялось быстро. В первый же день оказалось, что загадочный груз оформлен на получение в столице кооперативом «Москва». А кооператив этот, как КГБ было известно, находился в сфере влияния товарища Алихана. Как, впрочем, добрая половина московских кооперативов. Кооперативщики могли и сами не знать, кому и зачем они платят взяточную дань. Но случайно ли товарищ Алихан держится за другой конец этой цепочки?

Договор заключен с Россом, но при посредничестве Хардинга. На слежку за Хардингом были брошены лучшие ребята.

Всех членов кооператива «Москва» арестовали ночью и разместили на разных этажах Лубянки. Первые сутки их выдерживали в одиночках, чтобы поднакопилось эмоций. Потом предоставили им выплескивать эти эмоции опытнейшим наседкам в свободное от допросов время. Этим достигалась непрерывность болтовни подследственных. Плюс усталость, от которой они забывали, что было сказано следователю, а что — наседке. Плюс удвоенный страх (наседки попугать умели!), который только и может привести клиента в рабочее состояние.

Следственная группа все это время работала непрерывно. Возглавлял ее знаменитый майор Банабак. В молодости он работал лаборантом в институте физиологии и с тех еще пор стал личностью легендарной. На него приходили смотреть из других отделов, и он выиграл на спор не один ящик водки. Под его взглядом лабораторные белые мыши сами лезли к нему в рот.

Бирюкова читала все протоколы допросов, не поручая анализ никому.

«Я, Хиндеев Сергей Иванович, опознаю свою записную книжку с записями доходов и расходов. Признаю, что шифровал записи, так как нарушал социалистическую законность и боялся разоблачения. По шифрованным записям могу показать следующее.

За семь месяцев работы в кооперативе «Москва» я лично дал взятки 65 должностным лицам в виде:

советскими рублями — 565 000,
американскими долларами — 580,
коньяку — 89 бутылок,
импортными презервативами — 204 пачки по 5 штук,
журналами Playboy — две годовые подписки,
кофе растворимый — 16 кг.

Имена должностных лиц берусь восстановить по записям.

Я также вел торговлю марихуаной с ташкентским кооперативом «Горный воздух».

Принимал участие в строительстве подпольного спиртзавода в Переделкино, на даче бывшего поэта Кукушенко.

Содействовал митрополиту Фимену в продаже икон из Донского монастыря за границу».

Бирюкова пробежала глазами шесть машинописных страниц показаний. По всему было видно, что Хиндеев до смерти напуган и сознается во всем. По делу «Мыло» его показания были краткие: он заключил с Россом договор на посредничество при обмене двадцати тонн туалетного мыла на предметы антиквариата. Курс обмена — по обстоятельствам и по договоренности. Как посредник Хиндеев получает десять процентов и обязуется принять мыло на склад кооператива.

Кооператив «Москва» кололся весь. Только бухгалтер сперва запирался, что быстро прошло после личной беседы с майором Банабаком. Показания остальных членов кооператива совпадали с хиндеевскими. Анализ узла подслушки камер ничего принципиально нового не дал.

Бирюкова уже взяла телефонную трубку, чтоб отдать приказ о прессовом воздействии на подследственных с применением амиталкофеиновых растормаживающих, но передумала. Внутренний голос чекиста подсказал ей: кооперативщики невинны. Они действительно принимают «Мыло» за мыло. Ни резиновая камера, ни «четыре копыта», ни даже «андроповские трусы» тут ничего не дадут, а, напротив, усложнят следствие. Валя знала, что полусумасшедший от ужаса подследственный, которому нечего сказать, начинает, как правило, выдумывать небылицы — и невольно пускает дело по ложному следу.

Раз кооперативщики ничего не знают — надо браться за Хардинга. Бирюкова вызвала по селектору заведующего группой интердевочек.

— Где сейчас находится Лина?

— В гостинице «Украина», с вице-президентом фирмы «Nike».

Как только удастся извлечь ее из-под контакта — немедленно ко мне.

— Есть.

Лина по кличке Лань была гордостью группы интердевочек.

Помимо безупречной фигуры и невинного личика, у Лани было образование. Она лопотала на четырех языках, могла поддержать беседу хоть о компьютерах, хоть о музыке, а уж слушать собеседника умела так, как Дейлу Карнеги и не снилось. Строго говоря, держать такой кадр в группе интердевочек было почти преступлением: Лань с ее умом и цепкой хваткой способна была на большее. Но именно поэтому Бирюковой совсем не улыбалось видеть ее в своих сотрудницах. Очаровательная женщина в Первом главке одна, и это — Валя Бирюкова.

Лань, свеженькая, как из душа, вошла в кабинет.

— Все хорошеешь, деточка! — сказала Бирюкова совершенно искренне.

— Ну что вы, Валентина Сергеевна... — вполне натурально засмущалась Лань. Четырнадцатилетняя девочка, услышав первый в жизни «взрослый» комплимент, не могла бы трогательнее вспыхнуть.

— Вот объект, — сказала Бирюкова, протягивая Лани пачку фотографий Хардинга. Вот тысяча долларов на расходы, распишись. Как снимешь его, вези на «Папину дачу». Сегодня готовься, а завтра с утра тебя выведут на нужное место. Контакт с группой обеспечения в восемь ноль-ноль.

Валентина разъяснила Лани задание и напоследок улыбнулась:

— Внеочередной комплект нижнего белья получи сегодня на складе у Трофимыча, я ему позвоню. Все понятно?

— Так точно, Валентина Сергеевна.

— Можешь идти.

Бирюкова проводила легонькую фигурку взглядом. И как эти девчонки делают, что у них — никаких кругов от бессонницы под глазами!

Бывают же такие чудесные дни, черти б их побрали! Погода — как будто ее специально заказывал Вилли по своему вкусу, недурная дорога (что вообще-то нечасто бывает даже в окрестностях Москвы), запись новой русской рок-группы — безо всяких скидок будет изюминкой на сегодняшней гулянке... Он доедет до Серебряного Бора за полчаса, транспорта совсем немного. А там, на даче американского посольства, сегодня будет масса народу, жареные сосиски, веселье, выпивка... И конечно же там будет Анна с потрясающими своими ногами и бюстом, но, по закону подлости, — и со своим женихом из Сан-Франциско. Ничего не скажешь, вовремя приехал! До чего обидно.

Вилли притормозил у светофора, и тут его тряхнуло. Серенькая «лада», ехавшая следом, уткнулась в задний бампер его «форда». Чертыхнувшись, он вылез из машины разбираться. Из «лады» навстречу ему выпорхнула виновница, с заранее умоляющими глазами, в черном платье с разрезом вдоль правого бедра. Взгляд Вилли рикошетом проследовал от разреза к помятому бамперу, а потом обратно. В конце концов он решил быть непреклонным:

— Какая неприятность. Нужно вызвать полицию.

При этих словах губы девицы задрожали.

— Умоляю вас, что угодно, только не милицию! Вы же иностранец! Меня за это посадить могут! Вы американец, да?

Вилли приосанился. Блондинка быстро залопотала на вполне приличном английском:

— Давайте отъедем отсюда поскорее. Тут рядышком дача моего отца, он в командировке в Египте. Но машину вам починят, не беспокойтесь. Ах, какая же я растяпа! Не губите меня, пожалуйста! Клянусь, через сорок минут у вас будет новый бампер. Только не надо милиции! У вас такие добрые, смелые глаза!

И тут она взяла его за руку.

Впоследствии Вилли клялся сам себе, что всему виной было шампанское, которое Лина (так звали его новую знакомую) мгновенно извлекла из холодильника, привезя его на дачу. Дача произвела на Вилли впечатление. Там даже был бассейн с бурлящей водой.

— Ваш отец, наверное, член правительства?

— Он из простых рабочих. Сейчас, правда, занимает ответственный пост. У нас многие так. Говорите мне «ты», Вилли, пожалуйста...

Разговор с помятого бампера быстро перешел к темам более приятным и интересным — таким как гадание по руке и форме черепа. Лина, склонясь над ладонью Хардинга, с поразительной точностью описала его прошлое, а затем, ощупав его лоб и затылок, тонко подметила его железную волю и умение нравиться женщинам.

Следующим пунктом программы конечно же оказалась постель. Тут видавший виды Вилли совсем уже забыл и о бампере, и о вечеринке в посольстве. Какая девочка, елки-палки, какая девочка! Говори по-русски, малышка, я люблю, когда говорят по-русски...

Наградив его еще одним поцелуем, Лина промурлыкала:

— Ты ведь не думаешь, что я из КГБ?

— Конечно нет, бэби. Это все сказки для дураков. Еще, мой зайчик, еще... О, как хорошо!

— А почему вы так уверены, мистер Хардинг, что я не из КГБ?

— Откуда ты знаешь мою фамилию?

— Мы все про вас знаем, мистер Хардинг. А чего не знаем — вы сейчас мне уточните. Только без истерик, пожалуйста!

Лина прошлась по комнате и щелкнула пальцами. Как по волшебству, экран стоявшего в углу телевизора ожил, и Вилли увидел на нем себя и ее. Господи, в каком виде!

— Не хотите ли выпить, господин дипломат?

Вилли запоздало натягивал на себя одеяло, а Лина продолжала:

— Да что вы так разволновались? Дело житейское. Мы можем с вами сделать маленький бизнес. Продадим этот фильм в Швецию, к примеру. А может, и Голливуд заинтересуется... Смотрите, какое качество съемки — пальчики оближешь! А может, и ваша супруга захочет иногда проглядывать его перед сном, а?

Вилли застучал зубами по протянутому ему стакану.

— Ладно, мальчик, не дергайся. На твое счастье, я действительно работаю на КГБ, и лишний шум нам не нужен. Расскажи мне все, что знаешь, о Поле Россе и о грузе, который он везет. И никто ничего не узнает.

— А какие у меня гарантии? — сообразил все же спросить Вилли.

— Здесь вопросы задаю я! — обдала его Лина презрением и, предупредив, чтобы Вилли не вздумал врать, начала задавать вопросы.

Не прошло и получаса, как Лина провожала совершенно расстроенного Вилли к машине. Погнутый бампер был заменен на новый. На прощанье она обняла его и поцеловала в губы:

— Мы еще встретимся, мой дорогой. В постели ты просто великолепен. Пока.

Санек, скучая, созерцал, как вот уже второй час хозяин большой московской квартиры Боря Камнев показывает Вилли свою коллекцию.

— Эта серебряная сахарница, — пел Боря, — работы самого Фаберже. Вы посмотрите, какие линии, что за форма! А это Малевич. Этюд маслом. Колорит, колорит каков! Набросок гения!

Вилли непонятно для каких причин постучал по холсту пальцем.

— Ой, осторожнее, умоляю! Бывшая хозяйка, дура бескультурная, держала ее на чердаке, а там крыша протекала. Ну, работа немножко и заплесневела. Она выглядит чуть старше своих лет. Но для знатока — это только достоинство!

Знаток Боря был когда-то гинекологом и сколотил состояние на подпольных абортах. Лет десять тому назад одна из пациенток умерла: такая у нее оказалась реакция на наркоз. Дело удалось замять, но с такими трудностями, что у Бори осталась дрожь в руках. Пришлось ему выхлопотать себе инвалидность и полюбить антиквариат.

— А вот это, — Боря указал на закопченную доску, висевшую между морским пейзажем и африканской маской, — жемчужина моей коллекции. Николай-чудотворец, XV век. Новгородская школа! Это не икона, а целое состояние. Руками, пожалуйста, не трогайте.

Вилли обозрел икону и задал свой стандартный вопрос:

— Хорошо. Сколько мыла это стоит?

Боря вытаращил глаза, но тут вмешался Санек:

— Не волнуйся, Боря. Наш американский друг скоро получит вагон мыла.

— Импортного?

— Ну конечно, Боря! И все это мыло пойдет в обмен на антиквариат. Представляешь перспективы?

— О, мыло! Это прекрасно! Самый ходкий товар сейчас, — загорелся Боря. — Конечно же мы найдем общий язык! Вилли, дорогой, да я всю партию возьму, дайте мне только сразу же, как прибудет.

— Да у тебя на всю партию товара не хватит! — подкузьмил Санек.

— Хватит, Вилли. Хватит! Это Саня шутит. Я что угодно достану! Может быть, вас что-то конкретно интересует?

— О да, конкретно. Картина «Скрипач и коза» Шагала. Мне известно, что она где-то в частной коллекции, возможно в Москве.

Боря вздохнул.

— Уже год, как сам ищу. Но пока никаких следов. А может, как раз и повезет в последний момент? Вы только не теряйтесь, Вилли, дорогой! Куда вам позвонить в случае, если найду?

Уже три дня Санек по просьбе Алихана выгуливал Вилли по самым богатым коллекционерам Москвы, знакомил с девицами, таскал по ресторанам и внимательно слушал все разговоры. Ему уже ясно было, что Алихан ошибается. Вилли и секретность сочетались плохо. О грузе, который скоро придет, Вилли судачил не покладая языка со всеми: туалетное мыло! целый вагон! детка, тебе еще не приходилось обонять такое мыло! мой друг, конечно, будет заинтересован вашей иконой... монетами... кинжалом... у него есть мыло на обмен! как приятно познакомиться с вашей женой... вы знаете, о чем мы только что говорили с вашим мужем? о мыле! о, конечно, самой прелестной женщине Москвы нельзя отказать в таком пустяке...

Было очевидно, что это не маскировка: Вилли, с его хвастовством, страстью к блондинкам и простодушной самоуверенностью весь был как на ладони. Типичный «специалист по России», каких пруд пруди во всех посольствах. Саньку даже спорить с ним было неохота, когда он затягивал свои обычные восторги по поводу перестройки и прогресса внутри советского руководства. Нет, непохоже, чтоб Вилли темнил, но все же последнюю проверочку сделаем. Не таскать же его еще неделю за собой! Сил уже нет, и прочие дела стоят. Завтра ты у меня, парень, расколешься на все сто. А пока мотай к своей очередной пассии. Когда ты только работаешь, хотел бы я знать.

Злой и усталый, Санек вернулся домой уже за полночь.

— Где ты был, дядя Саня? Брал бы меня с собой, что ли. Какого черта по темноте сам шляешься? Замочат ведь!

— Хорошо, мой мальчик, славненько. Так обо мне и мама не заботилась. А теперь скажи: ты помнишь в лицо того американца, которого я обхаживаю последние дни?

— Конечно, дядя Саня.

— Так вот, завтра у меня с ним встреча. Хвостов за ним уже нету: видно, и КГБ интерес утратило, не только я. Вот место и время, — он протянул Племяшу бумажку, — дом там старый, два входа во двор. — А встретиться мы должны уже в квартире. Как много друзей у твоего дяди, малыш! И все оставляют ему свои ключи, уезжая: мужская солидарность, запомни на будущее, в этом и проявляется. Да, так я о чем? Ты этого гаврика в парадном встреть и пугни как следует, но чтоб без синяков.

— Это запросто, дядя Саня.

— А я зайду за ним следом, этак через минутку-другую. И от тебя его в честном кулачном бою спасу.

Племяш заулыбался.

— Не бойся, детинушка, я тебя сильно бить не буду. Слегка так только, по-родственному. Но чтоб напуган он был до недержания речи!

— Бу сделано, дядя Саня!

Теплым сентябрьским вечером Вилли шел по Арбату. Вот и нужный дом. Он достал из кармана бумажку с адресом и проверил. Да, третий этаж, квартира одиннадцать. Лампочка в парадном горела только на втором пролете. Пахло кошками и окурками. Как все же эти русские много курят.

Вилли не прошел и пяти шагов, как кто-то резко рванул его сзади за плечо. Потом его развернули, и в полутьме он различил огромного детину, черного — даже глаз не видно.

Нью-йоркская полиция рекомендует не нервировать грабителей сопротивлением, а иметь на такой случай в нагрудном кармане десять долларов. Вилли изобразил приветливую улыбку и попытался указать на свой карман. Нападавший, однако, не понял, покрепче ухватил Вилли за грудки и начал трясти с необыкновенной силой. Потом придвинул голову к самому Виллиному лицу и зарычал. Вилли разобрал, что рожа бандита обтянута черным чулком. От ужаса и тряски он не мог бы закричать, даже если бы попытался. Тут тряска прекратилась, Вилли с рычанием развернули, и он почувствовал, как с него стаскивают брюки. Маньяк! Господи, только не это! Он решился пискнуть, но жуткая лапа зажала ему рот.

В следующий момент что-то хлопнуло за спиной, Вилли был отброшен на пол и постарался откатиться подальше к лестнице. Рычание сменилось придушенным вскриком. Драка была такой короткой, что Вилли даже не успел решить, прийти ли ему на помощь своему неожиданному избавителю или унести поскорее ноги. Черный громила выскочил в дверь парадного, на миг обрисовавшись в синем проеме, и знакомый голос спросил:

— Это ты, Вилли? С тобой все в порядке?

Вилли все еще трясло, и он никак не мог натянуть брюки.

В квартире первым делом Санек потащил Вилли на кухню, достал из холодильника бутылку водки и налил Вилли стакан.

— Глотни быстренько. Разом! Ну?

Вилли послушно сглотнул все и даже не почувствовал ожога. Только теплая волна покачнула его, и руки перестали трястись. Какой отчаянный парень этот Санек! Конечно, Вилли бы ему помог отделать того бандита! Он просто не успел.

— Я просто не успел, понимаешь, мой друг?

Санек все понимал.

— Есть о чем говорить, такие пустяки. Выпей, Вилли, еще, хорошо от стресса помогает. Огурчиком, огурчиком закуси! И расслабься теперь.

Уже без всхлипов Вилли изливал Саньку свои эмоции:

— Ужасная страна! Я уверен, Александр, что этот человек из КГБ. Меня уже шантажировали их люди. Они меня просто запугивают. Это хардлайнеры, я понимаю. Чтоб государственная разведка чуть не убивала человека из-за контейнера мыла! Сумасшедшая страна! Какой тут может быть бизнес?

— А что, те люди спрашивали про мыло?

— Там была одна девица, она даже не скрывала откуда. Мыло ее интересовало, и в какую минуту!

— А этот битюг тоже тебя о грузе спрашивал?

— Нет, он только рычал. Но я уверен, Александр, я уверен!

— Почему бы им так было за тебя взяться? — раздумчиво произнес Санек. — Может, этот твой Росс не только мыло везет, а?

— Только, только, я знаю! Я же сам подал ему идею, будь проклят тот день и час! Откуда мне было знать, что из-за этого будет такая заваруха! А если в посольстве узнают, что я не поладил с советскими...

— Не узнают, не волнуйся. Если все чисто конечно. А может, все-таки твой Росс что-то финтит?

— Я Поля со школы знаю, Александр! Он простак, хоть и славный парень. Не может финтить. Неспособен патологически.

— Ну и ладно, не воспринимай это все так серьезно. Этот, которому я зубы выбил, скорее всего, просто хулиган. А на девицу наплюй. Давно это было?

— С неделю назад.

— И в посольство пока никто не обращался?

— Нет, я бы знал.

— Ну, значит, проверили и отстали. Вряд ли тебя еще побеспокоят. У КГБ других дел хватает. Кушай колбаску, а то развезет тебя. Ты, кстати, насчет картины Шагала упоминал?

— Да, Александр. Так ты думаешь, что отстанут?

— Уверен, Вилли, уверен. А насчет картины ты давно бы мне сказал. А то ведь я вижу: что-то ищешь, а что — только вчера понял. Есть у меня конец на эту картину.

— Ту самую? «Скрипач и коза»? — повеселел Вилли.

— Конечно. Это, правда, уже не за мыло будет, а за зелененькие.

— А как я буду знать, что это та картина?

— Посмотришь сам. И при тебе же я кусочек отрежу с краешку — пошлешь на экспертизу. Ты ведь небось для себя ищешь?

На это Вилли предпочел не ответить. Харальд Пламмер не любил афишировать свои контакты.

— В общем, не мое дело. За сто пятьдесят тысяч отдам картину, хоть и жалко. Сделай с нее слайд, организуй проверку как хочешь — хоть в Америку посылай. А картина подождет, она кушать не просит.

— Но ты ее никому не отдашь?

— До тех пор, пока цену не перебьют... Я же деловой человек, Вилли! Поторопись, если заинтересован. И деньги, пожалуйста, бумажками по двадцать долларов. Большие купюры людей нервируют.

Вскоре Санек провожал окончательно утешенного Вилли домой. С таким надежным другом не проблема была поймать такси на ночной улице. Племяш вел машину следом за такси — на всякий случай.

Глава 11

МЕНТАЛИТЕТ

Гадать Любка и впрямь умела: бабушка научила в детстве. Но по опыту молодых своих забав знала, что карты порой раскладываются верней, чем того бы всем хотелось. Пару раз она сдуру брякнула, что прочла, не пытаясь как-то отцензурить. И поняла, почему в старину принесшим худые вести рубили головы. Тех нагаданных ею развода и смерти хватило Любке для того, чтобы поумнеть и разработать новый метод. При этом врать впрямую она боялась: бабушка предупредила, что

небезопасно. И Любке вовсе не улыбалось проверять
на себе, предрассудок это или нет.

Теперь отбою не было от солдат. То ли их привлекали охальные изображения на картах, то ли сам про-
цесс гадания, но Любка поняла: пока у нее не перебы-
вает весь эшелон — сопротивляться бесполезно.

— На сердце у тебя бубновая дама — светленькая,
значит. Пиковой рядом не видно, так что все у вас выпадает хорошо. Зинка Гном скорчила рожицу:

— Я б ей, пиковой, показала! Все расхохотались,
кроме Салымона. Он почему-то смутился и цыкнул:

— Тише, черти! Мне гадают или кому? Не встревайте!

— А ты, Салымон, позолоти ручку — тогда не будем!

— Я те счас позолочу лицевой угол! Давай, Любка,
дальше.

— А дальше, Салымон, не очень понятно: будет тебе
дело какое-то большое. Стой, дай еще разок раскину...
Да, уж такое большое, что ты даже сам понимать не
будешь поначалу, чего натворишь. Но к худу или к добру — не разберу: дальше путаница какая-то начинается.
А ну-ка, руку покажи! Нет, рука как рука, тебе по ней
еще двух деток иметь положено. Похоже, Салымон, что
ты это дело сделаешь, но судьба у тебя в другую сторону пойдет, от него независимо.

— Ну и черт с ним, раз двое деток. И так, значит, мо-
роки хватит. Спасибо, Любка.

— Кушай на здоровье. Кто там дальше? Ты, Федя? Федор Брусникин послушно сдвинул колоду и на Любкин
приказ думать о своем сердечном желании так комич-
но взялся за голову, что вызвал смех и аплодисменты.

— Пошути, Федя, пошути — и судьба с тобой пошу-
тит, — сказала Любка вкрадчиво, с подозрительной
лаской в голосе.

— Ты чего, Любаша? Ты давай дело говори! — обес-
покоился майор, которого никто, кроме девиц, не ос-
меливался называть просто Федей.

— Я, дорогой, только читаю, от себя не сочиняю. Будешь слушать или будем шуточки шутить?

— Ну, сердце с перцем! Все, я уже тихий и послушный. Бунт подавлен, народ безмолвствует. Оглашай приговор.

— А будет тебе, Федя, перемена всей жизни в скором времени. Другое дело у тебя будет и другие люди. Главное твое не на молодость выпадает, а на потом. А то, что сейчас, — это еще присказка, а не сказка сама.

— А поконкретней, Любаша?

— Ну, дай руку. Видишь, как линия жизни на излом идет? И развилок нет... И кажется мне, Федя, что ты это главное свое лучше карт знаешь, только себе самому сказать не решаешься. Так неужели хочешь, чтобы первое слово мое, а не твое было?

— Ох, мать, хитра ты! Ох же генерал-баба! Где ж ты, лапа моя, стратегии с тактикой училась?

— Где я училась, там не дай бог твоим доченькам учиться, Федя. Иди, не обижайся на меня. Дело-то твое, похоже, хорошее получится. Авось и меня, хулиганку, где-нибудь помянешь...

— Это что, Любка, он у нас попом станет?

— Да не попом, олухи! Я вам гадаю или ему? Вот его и спросите, если он вам ответит конечно.

Спрашивать Брусникина охотников не нашлось: уж больно он стал задумчив и шутки понимать явно был не расположен. Следующим к Любке подошел Чирва-Козырь. Он со смаком поцеловал ей ручку, и снова все оживились и заржали:

— Гляди, как позолотил! Во, молодежь, учитесь!

Любка раскинула карты и призадумалась, но лишь на самую малость.

— Девочки тебя любят, Чирва-Козырь. И всегда любили. И любить будут до конца твоей жизни. Ни дня ты нелюбимым не проживешь...

Чирва-Козырь приосанился, выслушивая посыпавшиеся советы и пожелания. Чмокнул Любку в щечку, встал и провозгласил:

— Слышали, девочки? Смотрите мне, чтоб ни одного трудодня не пропустили! Карты сказали — значит, все, заметано!

От дальнейшего гадания Любка отказалась.

— Устала я чего-то, ребята. Завтра приходите. И карты отдохнут, путаться не будут. А то как бы мне чьих-то деток другому не нагадать!

Вся компания уже вывалилась из купе и досмеивалась в коридоре. Только Сонька Пуфик задержалась.

— Слышь, Любка, тебе Чирва целую головку чеснока притаранил!

Любка опешила:

— Ты что, Сонь? Я же всю жратву на всех девочек делю — поровну, при всех! Неужели думаешь — чеснок зажилю? Приди завтра утром, когда делиться будем — свое получишь! Или ты думаешь, что я ночью тайком чеснок поедаю? Так я, к твоему сведению, еще целоваться не разучилась!

— Да не, Любка, ты мне интригу не шей! Я тебе о чем толкую: ты стержень-то от головки не выбрасывай больше! Это ж — самая ценная вещь!

— Стержень — ценная? Вот эта палочка посередке?

— Сразу видно, что ты, Любка, зоны не нюхала! Это я не в упрек тебе, а в порядке обмена опытом. Если этот стержень на спичке обжечь — то им и брови наводить можно, и ресницы. Меня девки в лагере научили — красота! А то все импортное шмаровидло в дороге изведем — что останется, когда на место приедем?

— Ну, Сонька, не сердись: не так я тебя поняла. Дура я сегодня, а то бы ни в жизнь ничего такого не подумала. Ну, ты не обижаешься? Ну поцелуй меня! Тошно мне что-то, Соня, вот я на людей и кидаюсь. А стержень — конечно, выбрасывать не будем. Я не знала просто.

— Ты что, сестричка? Ты не плачь! Устала, да? Ты ложись давай. Вот я тебя укрою... Сейчас согреешься, не дрожи. Все будет хорошо... Спи, киса моя. Я пойду, ладно? Или кипяточку принесть?

— Нет, Сонечка, не надо. Я угрелась уже.

— Ну спи. Голубые тебе сны с голубыми глазами.

Любка выждала, пока Сонька ушла и только потом поревела всласть. Это было непросто — гадать судьбу всему эшелону. Может, карты и врали, но уж больно страшно было от этого вранья. Она сегодня ясно видела смерть Чирвы-Козыря от другого, которому тоже гадала, и смерть эту не сказала — хватило ума! — а сказала другую правду, которая тоже была на картах и утешила Чирву и подбодрила.

— Отче наш... дальше, Господи, я не знаю... пускай все будет хорошо! Пускай все будет хорошо! И у нас с Иваном, и у Соньки, и у Чирвы... Пожалей нас всех, Господи!

Бронзовая нимфа, которую Санек все жалел продавать, благодарно ему улыбалась в зеленом свете настольной лампы. Санек просматривал каталог последнего аукциона «Sotheby's» — рассеянно, чтоб только занять руки. А вот часы надо продавать, подумал он, уж очень громкий у них бой. С последним ударом часов ожил телефон. Санек потянулся в кресле. Он знал, что звонков будет восемь, и даже не стал считать. Это был долгожданный вызов от Алихана. Племяша Санек решил не будить, просто оставил на подзеркальнике пятикопеечную монету кверху гербом.

Машина уже ждала. У открытой дверцы стоял поджарый тип с обмороженными глазами. Не произнеся ни слова, Санек влез на заднее сиденье серой «Волги», и машина тронулась. Через час, проведенный в полном молчании, Саньку высадили у знакомого ему загородного дома. Черноволосый красавец, тоже знакомый, с приятной улыбкой проводил его в кабинет.

Тут все было по-прежнему, с той лишь разницей, что на огромном письменном столе на месте, где стоял раньше бюстик Ленина, была теперь бронзовая пепельница в виде черепа с зубами из слоновой кости.

Алихан церемонно встал из-за стола и, слегка склонив голову, широким хозяйским жестом пригласил Санька к камину. Черноволосый секретарь неслышно исчез за дверью. Алихан разлил коньяк в два пузатых бокала и пододвинул к Саньку раскрытую коробку сигар.

— Старею я, Саня, — задумчиво произнес Алихан, — на две работы уже сил не хватает. Пришлось второстепенную бросить.

Санек с хорошо разыгранным удивлением развел руками. О том, что Алихана Ибрагимовича Хусейнова недавно вывели из состава Политбюро он конечно же знал.

— Как же они теперь без вас обойдутся, Алихан Ибрагимович?

— Загнивают, понимаешь. Ишаки. Ладно, это мелочи. Мы с тобой люди деловые, нам не до официальных званий. У меня к тебе несколько вопросов. В этой комнате можешь говорить свободно, подслушки нет. Что ты мне можешь рассказать о булатных саблях?

Санек с готовностью оседлал любимого конька:

— Первые упоминания о булате появились во времена Александра Македонского. Он столкнулся с булатным оружием во время своего похода на Индию. Впоследствии секрет был утерян — по разным данным, в период от VI до XII века. Затем сходную по свойствам сталь начали производить в Сирии, в Дамаске. Впрочем, дамасская сталь хуже булатной, да и отличить их друг от друга может даже неспециалист. Настоящих булатных сабель индийской ковки в мире осталось всего несколько десятков. Стоят они безумно дорого. В Оружейной палате в Москве есть две булатные сабли. Однако поручиться за это я не могу, так как в позапрошлый четверг Оружейную палату неожиданно закрыли на ремонт. А за прошедшую неделю я случайно повстречался с шестью любителями старинного оружия из наших зарубежных друзей, и все они обмолвились, что за каждую из этих сабель готовы выложить от двадцати пяти до пятидесяти тысяч долларов.

— И кто же из них больше всего похож на джигита? — спросил Алихан.

— Они мало чем отличаются друг от друга.

— Я не совсем понял.

— Мне бы не хотелось обижать ни одного из них. Насчет экспертизы можете не волноваться, это моя забота.

— Сколько тебе нужно для этого времени?

— Месяц, полтора.

— Находчивость нужно поощрять. Твоя обычная доля тридцать процентов. Как ты смотришь на сорок?

— Я смотрю на пятьдесят.

— Согласен. Все, что тебе нужно, получишь послезавтра. Теперь я хотел бы узнать, как поживает наш друг Хардинг. Кстати, не было ли у тебя непредвиденных в связи с ним затрат?

— Восемьсот долларов на...

— Можешь не уточнять. Это мелочь. Что же ты выяснил?

— Он типичный чиновник, которому вряд ли светит повышение. О России знает не больше, чем Майк Тайсон о теории относительности. Считает себя великим ловчилой. Вывозит по дипломатической почте антиквариат. До сих пор работал по мелочам, только теперь заинтересовался вещами моего калибра. В политике — абсолютный ноль, хотя, возможно, связан с любителями искусства побогаче. Связь его с грузом — чистая случайность. КГБ его хвостило на высшем уровне, когда кооператив «Москва» замели, — он даже и не заметил. Допросили они его, он мне сам жаловался. И слежку сняли пару дней назад. Видимо, интереса не представляет. С разведкой он не связан, я проверял. В ЦРУ, конечно, стандарт невысок, но хоть чему-то они своих людей учат. А у этого Вилли мозгов даже на хорошего кота не хватит. Короче, Алихан Ибрагимович, мыло, только мыло, и ничего, кроме мыла!

— Мыло, мыло... — вполголоса повторил Алихан и вдруг безудержно расхохотался. Он представил себе лица членов Политбюро, когда они вскроют контейнер с загадочным грузом.

Глава 12

ГУЛЯЙПОЛЕ

Проскочили Днепр по плотине Днепрогэса и поняли: назад дороги нет. Только отстукал поезд последние стыки на плотине, а уж огромный, с виду давно брошенный башенный кран развернулся и положил на рельсы ржавый паровоз. А потом на каждом полустанке закрывались за Золотым эшелоном все новые и новые двери: кто-то с грохотом кидал на рельсы стальные трубы и бетонные блоки. По тем, что позади эшелона запирал путь к отходу, не стреляли: какой смысл? Постреляешь, уйдешь вперед, а они из укрытий вылезут да и вывалят на рельсы самосвал бетонного раствора. Спереди путь не закрывают, и ладно. Пока кому-то выгодно путь держать открытым.

Уже в сумерках прошли огромный миллионный город Запорожье — ни звука, ни огонька, ни живой души. Страшно ночью в маленьком брошенном людьми городке, где ветер свистит в трубах и хлопают открытые двери. А если людьми брошен огромный город, как тогда? Какие тогда размышления в голову полезут? Ползет поезд медленно-медленно: если путь разобран, если под откос лететь, так хоть чтоб время было тормознуть, чтоб хоть прыгать из поезда сподручно было. Усилил Зубров посты. Наблюдение во все стороны. Сам вперед не отрываясь в инфракрасный прицел смотрит. В одном месте высветил вдруг прожектор шевелящуюся земную поверхность и сто тысяч пар крысиных глаз на ней. В другом на него смотрели глаза человечьи, но мертвые, и он не выдержал взгляда.

А чудеса начались с рассветом, на подходе к славному городу Гуляйполе.

Когда вдали на востоке прямо по курсу небо зеленовато-серой краской изукрасили, успокоился Зубров и закрыл глаза, навалившись на дальномер-перископ. Тут-то и заорал наблюдатель из зенитной башни: «Во дает, во даст!» Встрепенулся Зубров, сообразил, где он, развернул перископ и тоже присвистнул: во дает!

Летит рядом с поездом, обгоняя, тачанка — та самая, наверное, в которой еще сам батька Махно езживал. Запряжена тачанка четверкой вороных, тянут те вороные тачанку, словно дьяволы. Гром да грохот. Все как в те славные времена: расписана тачанка цветами да райскими птицами, а по дубовому задку серебряными гвоздиками непристойный девиз выбит самого решительного содержания. Мужичище кнутищем коней хлещет, а рядом еще один, с цыганской серьгой в ухе. На одном картуз с поломанным козырьком, на другом — шапка баранья, серебряный кинжал на поясе и обрез за поясом. Не картина — загляденье. Все по стилю, только антенна радиостанции Р-227 гармонию нарушает, да вместо пулемета «Максим» вооружена тачанка автоматическим гранатометом АГС-17.

Тот, что с обрезом и серьгой, хохочет да поезд матом кроет, а тот, что с кнутищем, так коней и хлещет, так и хлещет, норовит впереди поезда прямо на рельсы выскочить. И уж видится Зуброву, как коснутся колеса рельсов, и от касания того разлетятся со звоном, и тачанка в куски рассыплется да еще и поездом ее тут же придавит. А тем зубастым гогочущим вроде и нестрашно, летят смерти навстречу да матерятся.

— Локомотиву!

— Я! — отозвался по селектору машинист.

— Придержи локомотив на минутку, а то ведь раздавим. Коней жалко.

Плавно затормозил поезд, а тачанка к бронеплощадке несется, вроде бы знают ее сумасбродные пассажиры, что именно в броневом вагоне командира встретить можно.

Выглянул Зубров из люка:

— Здоровы будете паны.

— Здоров, коли не шутишь.

— С чем пожаловали?

— А с тем пожаловали, что впереди станция Пологи. Так вот, вперед от той станции пути вам вовсе не будет: разобрали мы его. И вправо к морю пути не будет. Мы туда тоже пути разобрали. Кому то море нужно? Назад дороги нет. Это вы сами знаете. Так что от Пологов вертайте влево — на Гуляйполе. Батько Богдан Савела челом бьет та в гости просит.

— Ладно, спасибо за приглашение. Поедем к батьке в гости.

— Ну, добре. А мы будем рядом скакать та дорогу указывать.

— Зачем нам дорогу указывать? Поезд наш по рельсам идет, а рельсы в Гуляйполе ведут...

— А мы ж таки будемо рядом скакать та дорогу указывать. Батько велел.

— Ну, раз велел, так велел, только вы на рельсы не выскакивайте, а то поездом ненароком раздавлю.

— А то мы ще побачим, хто кого раздавить.

Двинулся поезд, а к Зуброву делегация ответственных товарищей: некогда нам в гости ко всяким там заезжать, в Москве давно уж пора быть!

— Славненько, отвечал Зубров, да только рельсы прямо к хозяину ведут и свобода маневра одной колеей ограничена, да и то движение одностороннее.

— Вы в Москве в прокуратуре все это расскажите, а в гости мы не поедем.

— Ну, вам из погреба виднее.

На том и разошлись. А славный город Гуляйполе, знать, близко, ибо справа и слева от Золотого эшелона несутся теперь тачанки почетным эскортом, и числа им нет. И украшена каждая по-своему, и в вооружении индивидуальность соблюдена: у кого пулемет Горюнова, у кого станковый калашников, у кого и дегтярев-шпагин, а у иных и владимиров. Кто граммофон крутит, а у кого компакт-диск «Тошиба». Прет Золотой эшелон, как лайнер океанский в сопровождении яхт на подходе к порту Сидней. Гик, да смех, и веселье до самого горизонта, а горизонты в степях — вон как далеки.

Скрипнули тормоза у шатра столь же огромного, как палатка «Союзгосцирка». Сам батько Богдан Савела на персидские ковры выступает. Красив батько, но одет странно: белый фрак с длинными фалдами да красные шелковые запорожские штаны в сафьяновые сапоги заправлены. Местные красавицы аж умолкли, увидев прекрасного витязя степей. И Зубров умолк, а потом присвистнул. Узнал Зубров в степном императоре друга детства своего и юношества. Правда, в те времена грозный атаман звался не Богданом Савелой, но Борей Савельевым. Прошел с ним Зубров долгие годы Суворовского училища, прошел почти полный курс разведывательного факультета Киевского высшего общевойскового командного училища имени Фрунзе. С самого детства, с одиннадцати лет, делил Витя Зубров с Борей Савельевым холод и сырость, мороз и пургу, и котелок на двоих, и долгие ночные караулы, и муштру, и парады, и книги те же самые любил.

Железный был парень Боря Савельев, стальной. С одиннадцати лет не знали ни взводный, ни ротный, ни батальонный командиры управы ему. Железный мальчишка. Одна только разница со сталью — не было в Боре Савельеве стальной упругости. Твердость — да. Гибкость — нет. Сломать можно, согнуть — нет. Правда, сломать его можно было только теоретически. На практике этого никому не удалось. Перед самым уже выпуском сорвался Савельев и загремел в штрафной батальон без зачета всех его долгих лет военного обучения. Потом, слышал Зубров, сорвался его друг и в штрафном батальоне: вроде бы дал в морду сержанту и попал после этого уж в настоящую тюрьму, после того след его теряется. Потом в Военно-дипломатической академии ГРУ услышал Зубров о неком дельце по кличке не то Савела, не то Соловей, который золото скупал, золото же и продавал. И подумалось: уж не друг ли это мой?

И вот он стоит теперь на персидских коврах в сафьяновых сапогах с булавой атаманской и половодье тачанок вокруг. При нехватке бензина, самое мудрое решение — вернуться к конным повозкам, к легкости птичьей. Четверка коней да пулемет. Маневр да огневая мощь. И во главе всей этой степной резвости друг его по имени Богдан Савела. Жаль, что совпадение такое. Лучше бы Зуброву попасть к людоедам племени тумбукту, с теми хоть перед смертью потолковать можно, а через Савелу не пройдешь. Не любит Савела коммунистов и не пропустит их. И Зубров коммунистов не любит, но не имеет права ни с того ни с сего степному волку их отдавать. С Савелой не договоришься, это Зубров знал — не согнешь его и не купишь, и потому тут и кончится путь Золотого эшелона. Тут весь батальон Зубров и положит и сам ляжет, защищая жизнь коммунистов, которые ему ничего никогда хорошего не сделали, как и всей его стране. Бесчестно это — людьми расплачиваться. Чем он тогда их лучше?

Открыл Зубров дверь, выскочил перед ним первый взвод, выстроился, взял на караул, а весь батальон спецназа крыши эшелона облепил, как мартышки банановую ветвь. Ступил Зубров на ковры, по взгляду видит, что узнал его степной властелин, но виду не подал. Поклонился Зубров атаману Савеле, обнял его Савела и облобызались они троекратно. И, увидев это, ударили музыканты в бубны да литавры, понес степной ветер по дальним сухим балкам глухой ритм плясового перебора. Звонче да веселей стук барабанный. Хряснул, не выдержав, шапку оземь пулеметчик и пустился в пляс, а запевалы, поддев друг друга локтями, взвопили плясовую, поддали звуку пулеметчики на тачанках, разом включив «сони» да «грюндики», и пошла в пляс вся рать, а за ней и батальон спецназа. А батько Савела ведет Зуброва на прайват дискашн.

Сели. Коньяку выпили. Для начала, как в дипломатии принято, поговорили о погоде и о затмении Луны, на будущий год предсказанном. А потом взял батько Савела Зуброва за ворот и поинтересовался, понимает ли Зубров, что тут конец его пути пришел. Слегка остыл, удостоверившись, что Зубров это понимает.

— Слушай, — говорит Савела. — Ты мне друг, и я тебе помогу. Решение есть. Выведи всех коммунистов (вся Украина знает, что ты их в поезде везешь) и сам поруби их саблей (саблю я тебе дам): нам хорошо, и тебе радость душевная. А после того поезжай на все четыре стороны, я тебе дорогу построю хоть до самого Ростова.

— Нет, — говорит Зубров.

А несгибаемый пахан не теряет оптимизма приемлемый компромисс найти:

— Ах, Зубров, Зубров. Ты коммунистов не хочешь убивать, да я перестану их убивать, так что ж о нас люди подумают! Да какие же мы после того интеллигенты?

— Нет, — говорит Зубров. — Убей, батько, меня, а уж потом любого из моего эшелона, кто приглянется.

— Нет, друг мой, ты меня тоже за вампира не держи и на штаны мои не поглядывай. Не я такое придумал. Даже президенты в Америке общественное мнение учитывают и одеваются в соответствии со вкусом большинства. Так вот, ты мне друг, и я тебя спасу. Коммунистов я не могу пропустить через свою территорию, мне этого толпа не простит, а кроме того, не простит и моя совесть. Но есть решения в любой ситуации. Давай вроде жребия бросим. Кому фортуна на колесе улыбнется, тот и пан. Черт с ней, с моей репутацией, ради тебя, Зубров, я ее и подмочить готов. Завтра возмещу: тут коммунистов по степям знаешь сколько рыщет. Готов жребий бросать?

— Готов.

— Ну, пошли к народу.

Появились они из шатра, и мигом бубны стихли, пляски замерли. Взобрались степные витязи на свои тачанки, а зубровские солдатики — на крыши своих вагонов. Поднял батько Савела бунчук атаманский и стихло все, замерло.

— Спецназ я всегда любил. — И гул одобрения подтвердил, что грозный атаман действительно всегда любил спецназ. — И охрану себе подбирал только из спецов бывших. — И опять гул подтвердил, что так оно и было. — И вот едет мимо целый батальон спецназа, да неужто я его не пропущу? — И удивилась толпа: а могут ли тут быть другие решения? Пропустить, да и только! А атаман свое войско за собой ведет силой логики: — Так не просто ж батальон спецназа едет, а ведет тот батальон друг моего детства Витя Зубров! Дай же я тебя, друже, расцелую.

Обнялись Савела с Зубровым, расцеловались. На тачанках сивоусые пулеметчики поотворачивались да взоры опустили, а бабы-молодухи заревели все разом.

— Та вот же злая судьба: приказали другу моему коммунистов до Москвы довезти. — При этих словах зашумела толпа, и шум сильно угрозой отдавал и полным неодобрением. — Так вот, мне, паны, задача: и коммунистов пропустить не могу, и друга не могу обидеть. Как же быть? — И озадачилась толпа: как же быть? Век думать будешь, так ничего ж и не придумаешь!

— Так вы ж думаете, что я на такую загадку отгадки не придумал? — И загорелись надеждой глаза. — Придумал! — Вздох облегчения пробежал, как ветер по степной траве.

— Так вот, есть у нас Ленечка. — При упоминании имени Ленечки хохот тряхнул тачанки, поприжимали кони уши, а хохот не утихал, мешая Савеле говорить. Поняла братия своего атамана замысел и хохотала, одобряя мудрость его. — Так вот, есть у нас Ленечка, и пусть они у себя там выберут. И пусть Ленечка встретится с тем, с ихним, на кулачки, значит. Правило старое: до первой смерти. Если убьют нашего Ленечку... — Тут хохот довел до слез многих, и ох как трудно было завершить атаману свою речь. Но нашел Савела силы в себе: — Так вот, если убьют нашего Ленечку, так и спорить не о чем: поезжайте себе. А уж если Ленечка победит, то езжайте себе, а коммунистов тут оставьте!

И вышел Ленечка, далеко за два метра, в наколках по самые уши, с железным зубом. А хохот уж и унять нельзя.

Оглядел Зубров Ленечку наколотого и условия принял. До первой смерти так до первой смерти. Есть и у нас в спецназе крупные типы.

— Салымон!

— Чего? — нарушая уставную формулу ответа, отозвался Салымон из первого вагона.

— Покажись! — тоже почему-то нарушил Зубров принятую уставом формулу.

Показался Салымон, и враз стихла толпа.

— Вот, Салымон, тебе объект атаки. Биться без лопат, без ножей, без антенн, без кнутов. Кулаками. Насмерть. Понял?

— Понял.

— Ну так бейся.

Вышел Салымон вперед. Осмотрел противника. Солиден. А Ленечка-противник долго не ждал. Развернулся и врубил Салымону прям между глаз кулаком. Врубил так, что слышен был хруст. И тут же врубил Ленечка Салымону в челюсть. И понеслось. Засвистела, заплясала толпа. И Золотой батальон засвистел: вот тебе и Салымон! Думали — богатырь, думали — непобедим. А Ленечка во вкус вошел, лупит Салымона, как хочет, тот только прикрывается. И уж в крови все Салымона лицо, в синяках. И хочется Зуброву крикнуть командно страшный клич: «Салымон, БЕЙ!» — и не помнит Зубров той магической формулы. А Ленечка вошел в заключительный этап убийства, пару раз ногой Салымона двинул и вдруг замолотил его такой серией ударов, от которой толпа в полный восторг пришла, и знала уж толпа наперед, что темп теперь с нарастанием пойдет. И пошел! И пошел! Все чаще и чаще Ленечка лупит. Знает, что нечего ему теперь бояться, и уж удары его не Салымону адресованы, но публике. Теперь Ленечке себя в лучшем свете показать. Теперь Ленечке эффект нужен...

А потом как-то все сразу оборвалось. Логика нарушилась. Впечатление такое неприятное, как в том кинозале, когда вдруг на самом интересном месте пленка порвалась, свет загорелся и вместо сказочного царства сидит зритель в оплеванном зале. Так и тут было. Стоит Салымон — морда избита до полной неузнаваемости. Если б не его рост, так и не узнаешь, Салымон это или какой там Кашкилдеев. Стоит Салымон-бедняга, морду свою побитую рукавом утирает. Горит морда огнем. Хоть бы кто догадался полотенце с холодной водой подать. А Ленечка лежит. Трепыхнулся разок, подтягивая левое колено к животу, и вроде как расслабился, выдохнув. Когда Салымон Ленечке двинул, никто не уловил. И Зубров не уловил. И потому интересуется:

— Ну что там, продолжать будем или хватит?

Наклонился над Ленечкой местный лекарь, нащупал на шее жилу и сообщил, что бой окончен победой Салымона. Полной победой.

Ничего не сказал батько Савела, только махнул рукою, чтоб, значит, баррикаду на пути эшелона убрали, и пошел в свой шатер не прощаясь. Молча и тачанки во все стороны покатили. Каждый к своему куреню поспешил, кашу варить, с глубоким неудовлетворением: мол, зрелища ждали, а зрелище отменилось.

А к Салымону Зинка бежит с полотенцем да с водой холодной. И ревет, и Салымона обнимает. Дуры бабы. Чего реветь-то? Жив человек, здоров, только морда вся избита, как яблоко печеное. Морда заживет. Так чего же реветь?

А Зубров — к последним вагонам, поздравить ответственных товарищей с чудесным спасением. Да решил им и Салымона, их спасителя, представить.

— Салымон!

— Я!

— Ну, кончай мыться, иди сюда.

Кончает Салымон умывание, бежит, на ходу заправляется. А у последних вагонов Зуброва уж поджидают ответственные товарищи.

— А известно ли вам, полковник, что азартные зрелища у нас запрещены?

— Известно.

— Значит, вы, полковник, сознательно свой батальон развращаете. Солдат на кон ставите — и все из-за чего?

Из-за вашей нездоровой тяги к общению с бандитами и острым ощущениям. Уж не на деньги ли вы играли? В надежде разбогатеть сюда завернули, видимо?

Тут и Салымон подбежал, а ответственные товарищи не унимаются:

— Вам приказ дали, а вы вместо того чем занимаетесь? Бесчестно это, полковник! При вашем солдате заявляем: бесчестно!

Ох, не следовало бы товарищу Званцеву этого говорить. Вскипел Зубров и от этого стал исключительно вежлив.

— Вовремя вы мне о чести, господа коммунисты, напомнили. Душевно благодарен. Покажись-ка, Салымон... Эк тебя изукрасило. Славненько, славненько. Был бы я министром обороны — так я б тебя за такой бой, за спасение батальона, за храбрость и стойкость в офицеры произвел. Но с этим пока погодить придется. А пока — при ответственных товарищах — приношу тебе извинения, что жизнь твою на кон поставил. Ошибку свою признаю. Поможешь ли исправить?

— Так точно, командир!

— Постой, гляну, все ли в вагонах. Давай-ка отцепим этот крюк. Так. Хорошо. Теперь заходи в вагон и давай сигнал к отправлению.

Как-то не сразу поняли партийные боссы, что вагоны их отсоединились и больше не составляют целого с Золотым эшелоном. И что расстояние между уходящим эшелоном и отцепленными вагонами быстро нарастает. Закричали они, заголосили. Зубров им с задней площадки уходящего эшелона ответил:

— А идите в...

Но из-за шума уходящих колес не поняли ответственные товарищи, куда им идти: в Ростов? в Донецк? в Славянск?

С давних времен принято в степях шест ставить и конский хвост на вершине, мол, граница владений. И вот стоит телескопическая антенна радиостанции дальней связи, кабина герметическая с аппаратурой — рядом и конский хвост на вершине антенны. Все ясно — тут батько Савелы владения кончаются. Степной разъезд — ни деревца, ни кустика. Только кони в степи стреноженные да пулеметная тачанка распряженная прямо у самой железнодорожной линии.

Остановился Золотой эшелон, подчиняясь красному сигналу.

— Кто тут у вас Зубровым будет?

— Я Зубров. В чем дело?

— Батько просил на связь. Зайдите.

Входит Зубров в аппаратную, снятую с армейского грузовика. Радист включил какие-то тумблеры, отчего загорелись разноцветные лампочки, подает Зуброву микрофон.

Берет Зубров микрофон и уж голос батько слышит:

— Здоров, Зубров!

— Здоров, батько Савела!

— Уезжаешь?

— Уезжаю.

— Я же тобой и поговорить не успел по душам.

— Еще встретимся, куда денемся.

— Слышь, Зубров, а может, ты к чертям всю свою армию да и вернешься ко мне? У меня раздолье и свобода. Девку я тебе найду, вся Украина ахнет. Молодцам твоим всем по доброму коню дам. Ну как?

— Нет, батько Савела, мне страну спасать надо.

— Слышь, Зубров, про меня теперь вся степь говорит.

— Что говорит?

— Болтают люди о мудрости моей, мол, вроде и спор проиграл Савела, а все равно получил то, что хотел. Хлопцы выдумывают всякие истории, оттадать все пытаются, как так я этих коммунистов получил. Так обрадовались, что даже и коммунистов не сразу убили. Слышь, Зубров, и про тебя вся степь болтает. Я ведь тоже общественное мнение изучаю. Болтают люди, что ты человек какой-то особый. Говорят, что хоть Савела его и обманул...

— Так не обманывал ты меня...

— То-то и дело, что не обманывал, а люди болтают, что кто Зуброва обманет, тому и трех дней не прожить...

— Ну, один день ты после того прожил.

— Два осталось. И ведь не обманывал же!

— Успокойся! Жить тебе долго. Я похлопочу.

— Перед кем?

— Да мало ли у меня друзей.

Выключил Зубров связь, вышел из кабины, радиста подозвал: передай людям в степи, что батько Савела меня не обманывал. Передай, чтоб батьку слушались.

...И пошла с того часа гулять по степи молва о том, что батько Савела мудрый и честный правитель, что батько Савела никогда никого не обманывал, что батьку слушать надо, но, мол, и над батькою есть сила.

Глава 13

ПРОПАЖА

К вечеру эшелон должен был подходить к Ростову-на-Дону, а оттуда были развилки. Зубров собрал в командирском купе офицеров батальона на совещание. Обсуждался дальнейший маршрут.

От Ростова можно было поворачивать на север и почти по прямой идти на Москву. Присутствовавший на совещании старший машинист, услышав это, заерзал на месте.

— Никак нельзя от Ростова на север сворачивать, товарищ полковник!

— Это почему же? — спросил Зубров.

— Потому как, едучи на север, мы никак Воронеж объехать не сможем.

— Ну и что?

— А там, товарищ полковник, никого живого нет и быть не может. Я на всех остановках местных спрашивал, что там дальше. И все в одну душу говорят: взрыв был в Воронеже. Теперь в тех местах только пауки водятся. Огромные, с собаку размером.

— Что за взрыв? Атомный, что ли?

— Разрешите доложить... — вмешался молоденький лейтенант, недавно переведенный в спецназ из инженерных войск.

— Докладывай.

— Под Воронежем атомная электростанция находилась. Полгода тому назад на ней произошла авария. Системы аварийного охлаждения вышли из строя. Как в Чернобыле. Только об этом шуму было меньше: не до того. Взрыв при этом получился слабый, реактор не такой мощный. Тепловой выброс, которого только и хватило, чтоб регулирующие стержни снести. Сначала даже обрадовались, что взрыв маломощный. Думали, этим и кончится. Полк, в котором я служил, бросили на оцепление. Мы под самой станцией стояли: заражение вначале было небольшое.

А реактор, оказалось, продолжал греться, пока все в нем не расплавилось. А когда расплавилось — вниз пошло. Прожгло плиту, на которой реактор стоял: два метра бетона — только так... И дальше пошло, пока до грунтовых вод не добралось.

Теперь там самый большой в мире гейзер. Каждые два часа столб радиоактивной воды на двести метров выбрасывает. А ветер водяную пыль, конечно, несет. После первого выброса из нашего полка в живых остались только те, кто в увольнении был. И я в том числе. Теперь там и правда ничего живого, а гейзер все бьет. До этого дела некоторые ученые, мать их так, под землю атомные станции предлагали прятать. А оказалось — под землю еще опаснее...

— Хватит тебе в технические дела вдаваться, — прервал лейтенанта Зубров.

— Доложи, машинист, как нам Воронеж обойти.

— На Сталинград поедем, там вдоль Волги до Сызрани, а оттуда через Пензу и Рязань на Москву.

— А по этой дороге атомных станций нет?

— Атомных нет. А вот химический комбинат в Саратове имеется.

— Вот черт... А с ним что стряслось?

— Вроде пока ничего. Пока.

Стоит на горизонте баба исполинская, с мечом занесенным: Сталинград. Приказал Брежнев у Сталинграда поставить памятник, да такой, чтоб за сто километров меч из-за горизонта виднелся. Вот и виднеется. А зачем, для чего, никому непонятно... Объясняли народу, что, мол, в честь блестящей победы. Но победа такой была, что стыдно объявить число потерь. Ляпнул кто-то, что, мол, двадцать миллионов Советский Союз потерял, и пошел слух по миру гулять, и давай эксперты тот слух повторять. Эксперты тоже ведь люди, такие же славные люди, как пулеметчики у батьки Савелы: услыхал что интересное, ну и повтори. И никого не интересует источник, который о двадцати миллионах первым ляпнул. А самым первым был американский президент Джон Кеннеди, который о России знал ровно столько, сколько ему советники подсказывали, а уж где советники информацию брали, то нам неведомо. Одним словом, спросил президент, не подумав: «Сколько миллионов положили? Уж не двадцать ли?» — «Ага, — отвечает Хрущев, — именно так — двадцать». Так слух был рожден и пошел по свету экспертами цитироваться. А если бы американский президент навскидку определил бы потери в десять миллионов, так и было бы их десять.

Встал эшелон в тени монумента, особого почтения нет к нему. Брехня, она и остается брехней, хоть ты ее в тысячи тонн железобетона отлей. Правду сказали бы, так, может, и уважение появилось бы. В общем, не до статуи батальону. Прошла команда: бриться, стричься, в бане мыться, песни петь и веселиться! И веселится батальон, и моется, фыркая, и бреется, шеяку бычью к зеркалу вздернув, и тельняги стирает, на ветру выстиранные поразвесив. На полустанке эшелон стоит, в город не въезжает, тут спокойнее: все вокруг видно, никто внезапно не ударит, и потому — расслабьтесь, братцы. Расслабляются спецы, веселятся. Только Зуброву веселья нет, и подметил это только один — майор Брусникин. Зашел.

— Не мое это дело, товарищ полковник, но чудится мне, что, сдав коммунистов батьке Савеле, вы покой потеряли.

— Правильно, Федя.

— Забудьте их, они преступники.

— То, что преступники, — это по их мордам видно. Но я должен был сам...

Хотел Зубров продолжать, но тут в дверь стукнул Салымон:

— Командир, Росс пропал!

— Как пропал?

— Как сквозь землю.

— Везде просмотрел?

— Везде.

Взвыла сирена. Взял Зубров микрофон:

— Батальону. Боевая тревога. Орудийным башням и БМД круговое наблюдение и обстрел по варианту два. Все ГАЗ-166 — с платформ. Первый взвод, забрать все машины и через тридцать минут мобилизовать в окрестностях весь подвижной транспорт, включая автобусы и мотоциклы. За захват вертолета — награда особая. Седьмой взвод — оборона правее эшелона, восьмой — левее, девятый — мой резерв. Остальным готовиться к поиску — выезд немедленно после получения реквизированного транспорта. Офицерский состав — ко мне.

Полетела земля комьями вокруг эшелона — зарывается спецназ. Ощетинились первые окопчики пулеметными стволами и гранатометными жерлами: кто знает, что случиться может? Так вот, пот экономит кровь — лучше десять метров окопа, чем метр могилы.

Газики мигом на насыпь скатились, и понеслись три из них сразу в аэропорт. В 11.15 аппаратура правительственной связи Золотого эшелона подключена к каналам местного руководства и от имени Политбюро Зубров потребовал от местных властей поднять по боевой тревоге все войсковые части вооруженных сил, внутренних войск МВД, милиции и КГБ; Зубров потребовал также представить сведения о всех способных летать вертолетах, которые находятся в воздухе или на земле. В 11.16 захвачен первый самосвал. В 11.18 захвачен мотоцикл и школьный автобус. В 11.23 последовал ответ местных властей о принятых мерах и заверения в том, что ни одного исправного вертолета в районе города нет. В 11.32 группа спецназа вступила на территорию полузаброшенного аэропорта. В 11.39 группа сообщила, что в аэропорту исправных вертолетов не обнаружено. В 12.13 последняя из предназначенных для поиска групп на захваченном транспорте приступила к выполнению боевой задачи. В 12.24 из аэропорта старший сержант Салымон доложил о захвате приземлившегося вертолета Ми-8 с делегацией местных партийных лидеров. В 12.27 вертолет с группой спецназа на борту приступил к выполнению поставленной задачи по поиску гражданина США мистера Поля Росса. В 12.29 полковник Зубров сообщил, что именем Политбюро вертолет Ми-8 реквизирован для выполнения ответственой правительственной задачи; в случае если Сталинградский обком еще раз представит преднамеренно ложную информацию, Золотой батальон спецназа именем Политбюро проведет чистку рядов местной партийной организации с вывешиванием руководства и непосредственно виновных на телефонных, телеграфных и других столбах. В 12.41 полковнику Зуброву доложили из обкома о направленных в его распоряжение двух вертолетов Ми-24, одного Ми-6 и трех Ми-8, о закрытии всех дорог вокруг города, о выставленных патрулях и заставах, о выделении ответственного сотрудника обкома в распоряжение Зуброва для координации действий местных органов и вверенных Зуброву подразделений. Тем временем Зубров лично вел следствие. За час были собраны многочисленные свидетельства офицеров и солдат, местного железнодорожного персонала и случайно оказавшихся лиц. Вывод получался простым и ясным: Росс похищен. Похищение тщательно заранее спланировано, всесторонне подготовлено и блистательно осуществлено. Весь день и вся ночь результатов не дали.

В поезде Россу было скучно. Ему не хватало в особенности двух вещей: деловых новостей и пристойного туалета. Последнее, то есть отсутствие возможности помыться по-человечески, наводило на него глубокую тоску. Каждый раз, когда поезд останавливался, чтобы набрать воду, Росс спешил возместить упущенное.

Так было и на этот раз. Все уже вернулись в вагоны, а Росс все еще плескался и фыркал под струей воды. Вдруг ему показалось, что он не один. Он нервно оглянулся: степь да степь кругом, и ни одной живой души. Все было тихо. И все же ощущение, что за ним наблюдают, не оставляло его. Он бы поклялся, что из близлежащих кустиков за каждым его движением следили чьи-то глаза. Росса охватил ужас — такой ужас, который, наверное, овладевал нашими предками, когда за ними крался саблезубый тигр. Он ринулся к поезду, прыгая через шпалы и думая о том, как приятно будет оказаться вновь под защитой брони и пушек. О, блага цивилизации! Но в тот самый момент, когда эта мысль сформировалась в его сознании, веревочная петля, мягко просвистев в воздухе, обвилась вокруг него и тело Росса рвануло вбок в сторону. Он скатился под откос, успев лишь подумать, что покалечится. Но боли он не почувствовал, как не услышал ни одного звука.

Очнулся он, оттого что спине его было холодно, а лицо горело. Жар шел от костерка, разведенного в полуметре от него. Росс лежал на спине, его ломило, как с похмелья. Перед глазами все плыло. Росс видел лишь неясные тени. Вдруг кто-то ткнул его в поясницу, и он услышал голос:

— Говори, русская свинья.

Слова были русскими, но акцент был Россу незнаком. Он не знал, что он должен говорить. «Если бы только перед глазами прояснилось, — подумал он, — я бы мог сообразить, что это за люди». Росс попытался поднести руки к лицу, но эта попытка вызвала резкую боль в правом плече.

— О господи! — простонал Росс на родном языке.

— Сколько вас в поезде? — спросил другой голос, но с таким же странным акцентом.

Теперь Росс увидел, хотя перед глазами еще расплывались контуры, что их было много, человек, наверное, двадцать. Стоявший перед ним был одет в форму защитного цвета. Его лицо, пересеченное длинным шрамом, обрамляла густая черная борода. Горящие глаза были того же цвета. Эти глаза смотрели на Росса с таким лютым выражением, что он понял — это и есть главарь.

— Пожалуйста, — пробормотал Росс по-русски, — подождите секунду. Нет ли у вас воды?

— Воду получишь позже. А сейчас говори. — Вопрос задал опять человек со шрамом. — Сколько человек в поезде?

— Послушайте, — Росс говорил теперь более связно. — Я не русский. Я из Чикаго. Америка, Соединенные Штаты. — Плечо его все еще ныло, а на правой руке запеклась кровь.

— Сними ботинки.

Это был приказ, и Росс, не успев понять, что приказ адресован не ему, попытался сесть и дотянуться до ног. Небольшого роста человек, тоже с бородой, схватил его за лодыжки и содрал с него ботинки. Росс заметил у него на голове небольшую ермолку, приколотую двумя-тремя булавками. Ермолка была темно-красная, с ярко зеленой и желтой вышивкой. «Еврей?» — промелькнуло у него в голове.

После того как с него сняли носки и туфли, еще один человек в защитной одежде опустился на колени перед ним. Росса поразило, с какой невероятной скоростью двигались эти небольшие люди, но удивление его длилось недолго: боль сменила его. В руках у маленького бородатого оказалась толстая палка, и он с силой ударил Росса по подошвам. Росс вскрикнул, мышцы его сжались.

— Русская собака, неверная свинья! Сколько людей на поезде?

— Я не знаю точно, может быть двадцать. Я их всех не видел. Я — американец! посмотрите на мои туфли — таких в Москве не делают! Посмотрите на мою одежду — на мне все американское, не русское, а а-ме-ри-кан-ское!

Что-то в этой речи остановило внимание его инквизитора, и он произнес фразу на языке, которого Пол не знал. Теперь Пол видел и остальных — чернобородые, темноглазые, и на всех — темно-красные ермолки с разноцветной вышивкой. Росс пытался лихорадочно сообразить, кто они такие, но ему ничего не приходило в голову. Такие ермолки, он знал, носили только правоверные евреи; но что бы делала банда правоверных евреев-мародеров в этих степях? С другой стороны, если они не евреи, то они мусульмане. Но все мусульмане, о которых Росс когда-либо слыхал, носили на головах тюрбаны или же такие штуки, как у Арафата, а эти — нет. Кто же, черт возьми, они такие?

— Ты сказал, что твои ботинки американские?

— Да-да, американские. Соединенные Штаты. Я приехал из Америки. Я — не русский! Другие — русские, я — нет.

Росс заметил, что начал плакать, сначала медленно, затем всхлипывая, задыхаясь, судорожно хватая воздух.

Главный шевельнул рукой, и человек, стоявший около Росса на коленях, резко ударил его по лицу тыльной стороной руки. Голова Росса дернулась назад, но удара он не почувствовал — его голова ткнулась во что-то мягкое. И снова отрывистый вопрос:

— Что делает американец с убийцами из спецназа? Мы привыкли, что русские лгут. — Кивок, и снова палка хлестко ударила по пяткам Росса.

Он вскрикнул и непристойно выругался на родном языке; тут же опомнившись, он продолжал по-русски:

— Пожалуйста, выслушайте меня. Я американский бизнесмен. Я приехал сюда, чтобы продать русским мыло. Я ничего не имею со спецназом. Они охраняют мое мыло, вот и все.

Это объяснение вызвало взрыв смеха, а затем короткий разговор между захватившими его. Человек со шрамом, все еще хмыкая, подошел к Полю настолько близко, что тот ощутил исходивший от него резкий запах лошадиного и человечьего пота. Поля передернуло.

— Ты ожидаешь, что мы поверим в эту сказку? Что мыло для вашей армии приобрело военную ценность? Этот поезд выполняет военную миссию, и ты — часть этой миссии.

— Нет! — Росса охватило отчаяние. Кем бы они ни были, они определенно не любили русских. — Никакой русский не пошлет американца с военной миссией. Подумайте, ведь мы деремся с русскими уже целое столетие. Как вы думаете, кто вооружал афганцев? Мы! Вы слышали о вьетнамской войне? Мы дрались во Вьетнаме, потому что мы думали, там русские. Вот почему. И Фиделя мы пытались убить. А Гренада? — ему пришлось употребить английское название этого острова, так как он не знал русского. — Что же вы думаете, теперь мы станем помогать русским?

— Хорошо говоришь. Но ты был в поезде, и это военный поезд.

— Мне сказали, что дорога беспокойная, что хулиганы и преступники попытаются украсть мыло, поэтому его и охраняют.

— Откуда ты приехал?

— Из Одессы.

— Но эта дорога не ведет из Одессы в Москву.

— Обычная дорога закрыта, нам пришлось объезжать.

Вдруг он почувствовал, что на нем расстегивают брюки.

— Подождите, подождите, что вы делаете? — но брюки его и трусы с него содрали, и он опять почувствовал с одной стороны холодный ветер, а с другой неприятное тепло от костра.

— Ага. Ты обрезан.

Кто-то с силой развел его ноги, и корявые пальцы держали его за член. Мошонка его инстинктивно сжалась. Этого не может быть! «Эта дурацкая шутка, дурацкая шутка русских, и ничего более. О господи, пусть это будет так!»

— Да, конечно, — Росс с трудом вытолкнул эти слова через судорожно сжатые зубы.

— Почему ты обрезан?

— Всех американцев обрезают сразу после рождения.

— Христиане не делают обрезания. Какая у тебя религия?

Росс знал, что от ответа на этот вопрос может зависеть его жизнь. Однако он не знал, какой ответ окажется правильным. Ясно, они какие-то религиозные фанатики, но какие? Если мусульмане, ему не стоит говорить, что он иудей. Но он не может и заявить, что он мусульманин, потому что он не знает ничего о мусульманской религии и это его захватчики обнаружат мгновенно. Слова о христианах звучали не очень дружественно, да, кроме того, они, кажется, и не поверили, что он обрезанный христианин. Что же сказать? «Ну, ладно, — подумал он. — Я не знаю, что сказать, — скажу этим подонкам правду. Большую часть правды».

— Я не принадлежу ни к какой церкви. В моей стране обрезание не имеет религиозного значения. Это чисто гигиеническая процедура.

— Так ты атеист? Ты веришь в мыло?

— Нет, я верю в Бога. Но я не принадлежу ни к какой церкви. Это заявление снова вызвало у присутствующих оживленный обмен репликами на непонятном языке. Через несколько минут Росс робко спросил:

— Пожалуйста, разрешите мне надеть снова брюки.

— Эти брюки ты наденешь или как новый человек, или как мертвый человек.

Тот, со шрамом, повернулся и отошел от Росса, и с ним отошли почти все присутствующие. Около Росса остались трое. Его подняли на ноги, и один из троих поднял одеяло и подушку, на которых лежал Росс.

Иди за мной.

Его подтолкнули к огню, он споткнулся и упал на колени, совсем рядом с огнем. Чья-то сильная лапа схватила его за воротник куртки и швырнула на одеяло. Пока Росс соображал, что с ним происходит, появился еще один. В руке он нес металлическую тарелку, на которой скворчало мясо и лежала горка нарезанной капусты.

— Ешь как следует.

Росс не понял, чем отдавало мясо, но оно было съедобно, чего нельзя сказать о капусте. Поэтому он налег на мясо, надеясь, что, когда вернется в Чикаго, врачи смогут спасти его от болезни, которую он здесь непременно подхватит от этого блюда.

«О чем я думаю? — затем промелькнуло в его голове. — Это ли должно меня беспокоить? Я в руках у полусумасшедших религиозных фанатиков, раздетый, перед костром, мошонка моя трепещет на ветру, а фанатики с интересом обсуждают, что им делать с моим обрезанным членом». Опять его передернуло.

В это время один из захвативших его внезапно вскочил на ноги, отошел от костра и через несколько секунд вернулся, держа в руках металлическую кружку.

— Пей, это тебя согреет.

Росс осторожно глотнул, и, к своему удовольствию, обнаружил, что пьет горячий мятный чай. Он опорожнил кружку и протянул своему охраннику:

— Долейте, пожалуйста.

Но охранник покачал головой и показал на приближающуюся к нему группу, во главе которой шел человек со шрамом.

— Смотри, они уже решили.

Группа окружила его, и человек со шрамом сказал:

— Мы верим тебе, американец. Так что ты останешься с нами. Может быть, поможешь нам драться с русскими, как ты помогал нашим братьям в Афганистане.

Росс всхлипнул, на него накатила волна облегчения.

— Но, — продолжал главарь — на одном условии. Ты не можешь быть с нами, если ты не подчинишься законам Аллаха. Ты должен обратиться в мусульманство. Если ты этого не сделаешь, нам придется убить тебя здесь же, и прямо сейчас.

— Но я ничего не знаю о вашей религии, я даже не знаю, кто вы.

— Узнаешь. Мы — члены секты суфистов, хранителей священного Корана, защитники веры пророка Магомета.

— Долго ли занимает обращение? — Когда-то Росс что-то читал о крестоносцах, и внезапно в его памяти всплыла фраза: «Ислам или меч». «Недаром, — подумал он, — его профессор по этому поводу заметил, что это — несложный выбор».

— Ты должен провозгласить свою веру в Аллаха и его пророка Магомета. В глазах Аллаха этого достаточно. А остальному мы научим тебя позже. Сейчас же повторяй за мной трижды:

— Ла Илаха илла-лла; Мухаммаду Расулу-лла.

— Что это значит?

Глаза человека со шрамом вспыхнули, рука его сжалась в кулак:

— Нет бога, кроме Аллаха, и Магомет — пророк его. В этом вся истина.

Росс изо всех сил старался правильно произнести арабские слова, но человека со шрамом это не удовлетворило. Он схватил Росса за плечи и встряхнул его.

— Важны не только слова, американец. Ты должен верить в то, что произносишь. Не только твоя жизнь, но и твоя бессмертная душа зависит от того, насколько страстно ты стремишься быть обращенным. Лжеца мы узнаем, — тут он выпрямился, и глаза его сверкнули, — и истребим с лица земли.

Росс попытался вложить всю свою душу в непонятные арабские слова, три раза человек со шрамом пропел их, и три раза Росс повторил молитву нараспев. После этого человек со шрамом обнял его, и все остальные окружили, тряся за плечи, обнимая, пожимая руки. Впервые с того момента, как Росс пришел в себя, он расслабился. Итак, он — мусульманин, он подумал о том, что скажут по этому поводу его родители, о том, с каким успехом он будет рассказывать эту историю за коктейлем в Чикаго. Лицо человека со шрамом осветила улыбка, и он обнял Росса за плечи.

— Теперь осталось еще закончить ритуал, и ты будешь одним из нас.

Этого Росс не ожидал.

— Что ты имеешь в виду?

— Ну как же, все мусульмане должны быть обрезаны. Мы обрезаем своих детей, когда им исполняется девять лет, а вновь обращенных — тогда, когда они принимают ислам. Ты — новообращенный, но ты уже обрезаный. Мы обсудим эту проблему, ибо она для нас несколько необычна. Мы впервые встречаем человека с таким случаем. Впрочем, мы решили, что первое обрезание сделано не совсем правильно. Поэтому мы закончим работу. Это будет сделано быстро.

Росс почувствовал слабость в коленях, кружка выпала из его рук. Человек со шрамом отступил в сторону, и из-за его спины появился другой мусульманин, такой же черноглазый и чернобородый, в такой же цветной тюбетейке. В правой руке он держал длинный нож, на полированном лезвии которого играли отблески пламени. Он напоминал персонажи картины Шагала, — но в отличие от шагаловского ангела, плывшего над минаретами и облаками, этот стоял обеими ногами на земле. Кто-то схватил руки Росса и свел их за его спиной. Чернобородый приблизился и схватил член Росса левой рукой. Он нахмурился, и начал прикладывать лезвие под различными углами, пытаясь найти правильную позицию. Росс почувствовал, что сейчас обкакается.

— Во имя Аллаха, какой секретный груз везет поезд? — проревел голос, как бы исходивший с небес.

— Мыло, — проблеял Росс.

— Что? Ты смеешься над нами, сын собаки!

— Честно — мыло, только мыло.

От резкой боли искры промелькнули перед его глазами, и он, проваливаясь в какую-то черную дыру, успел лишь хрипло произнести:

— Мыло...

Пришел он в себя от утренней свежести. Вокруг него никого не было. Люди и лошади, шагаловский ангел с ножом и пророк, украшенный шрамом, все исчезли как дурной сон. Только тлели угольки вчерашнего костра. Может, это и был кошмар? Спотыкаясь, Росс медленно заковылял по направлению к новому дню, появляющемуся из-за горизонта. Он так и не осмелился посмотреть на то место, по которому вчера прошел нож чернобородого.

— Господи, Господи, пусть это все окажется лишь дурным сном!

Он появился утром следующего дня. Мокрый, голодный, избитый, сияющий. Обнял его Зубров. Приказал помыть, высушить, накормить, а насчет напоить — это Зубров на себя взял. Распорядился вернуть весь транспорт и вертолеты владельцам, отослать благодарность местному руководству и наилучшие пожелания славному городу. И когда быстрые сборы увенчались гудком тепловоза, потянувшего за собой эшелон, Зубров налил закутанному в пушистый халат Россу хороший стакан «Glenfiddich» (специально для него из Одессы прихваченный), налил себе и выдохнул: «Рассказывай».

Он рассказывал долго. Он рассказал историю про мыло с самого начала. Он рассказывал смешно. Зубров смеялся, а Росс старался вложить душу в рассказ и помнил, что Зубров смеется только потому, что заставляет себя смеяться. Он закончил рассказ, а Зубров сидел напротив, охватив голову руками. Долго молчали. Наконец Зубров спросил: ты уверен, что в контейнере мыло?

— Если не украли в Одесском порту, то мыло.

Вдруг Росс увидел напротив совершенно невидящие глаза, и вновь гнетущая тишина заполнила все пространство вокруг, и стук колес не нарушал тишину, но подчеркивал.

— Я — Первый. Майора Брусникина и капитана Драча — ко мне.

Первым влетел в купе Брусникин, и тряхнуло его — думал, что Зубров умер. Он сидел у окна, откинувшись далеко назад, и лицо полковника было таким, каким бывает лицо убитого в бою человека. Влетел и Драч и первое, что увидел — лицо своего командира, и ему захотелось кричать: воды! Но не кричал: в лице Зуброва кроме мертвенной зелености проступало что-то еще, не то решимость самоубийственного подвига, не то отрешенность камеры смертников. Драч — на Росса: мол, что ты с ним, гад, сделал? Понятно, что без слов, только взглядом спросил. И Брусникин Россу тот же вопрос бросил без слов, правда, более вежливо: что вы тут пили? А Росс и сам ни черта не понимает. Болтали, трепались и выпили вроде немного. Что ж это с ним?

Не поворачивая головы, скосил Зубров только глаза:

— Гвардии майор Брусникин, что мы везем в контейнере?

— Мыло, товарищ полковник.

— Мыло — это легенда для окружающих, а что на самом деле?

— Мыло, товарищ полковник. Болтают люди о стратегическом оружии, но именно это и есть легенда, а на самом деле — мыло.

— Откуда знаешь?

— Я правительственную связь каждый день по пятнадцать часов слушаю. Противоречивая информация. Они сами эту легенду с перепугу сочинили.

— Что ж ты молчал всю дорогу?

— Я думал, вы сами догадались.

Хуже этого оскорбить полковника Зуброва было нельзя. Вякнул Брусникин сдуру и язык прикусил: выходит, что Зубров такой болван, что не понял вообще ничего в ситуации, когда все так ясно.

— Капитан Драч?

— Я!

— Что мы везем в контейнере?

— Раньше в контейнере было мыло, но мы везем пустой контейнер.

— Откуда знаешь?

— Мне, кхм, женщина одна сказала. Она все знает.

— Где ж то самое мыло?

— Его украли еще в Одессе. Контейнер нам погрузили уже пустой.

— Что думают люди о содержании контейнера?

— Солдаты уверены, что везут стратегическое оружие, действующее на психику, а, кхм... все женщины считают, что это мыло. Ради мыла они все и увязались за поездом.

— Но одна-то женщина знает, что контейнер пустой. Ради чего же она с нами едет?

— Извините, товарищ полковник, женщина ехала ради мыла, но, сообразив, что мыла нет, едет... ради меня.

— Понял. Она едет ради тебя. Но ты-то ради чего едешь? Ты-то понимаешь, что пустой контейнер или полный, но речь идет о мыле! Офицер, которому приказали возить мыло и ради этого убивать людей и жертвовать людьми и собственной жизнью — больше не офицер. Прости меня, Поль, ты торговец и ничего плохого в этом нет, но офицер не имеет права убивать людей ради мыла, и настоящий офицер обязан не выполнять таких приказов, но застрелиться. А перед тем как застрелиться самому, офицер обязан доложить своему командиру, чтобы и тот имел возможность застрелиться.

Зубров умолк и долго молчал.

Потом вдруг стал официален: застегнуться на все пуговицы — как в армии говорят.

— Значит, так. На первом разъезде загоняем эшелон в тупик. Назначаю комиссию для вскрытия контейнера. В составе комиссии: я — полковник Зубров, майор Брусникин и капитан Драч. Гражданин США Поль Росс членом комиссии быть не может, но приглашается в качестве свидетеля и консультанта.

— Принято.

— Зачем вскрывать? — не понял Драч. — Довезем до Москвы и сдадим. Печати на месте, и — дело с концом. Нам такой груз дали, мы такой и довезли, а если контейнер пуст, так то не наше...

Зубров так глянул на Драча, что тот тут же зарекся: в вопросах офицерской чести мнения своего больше при Зуброве не высказывать, да и вообще пересмотреть свою позицию в этом вопросе.

— Я предлагаю, товарищ полковник, — вступил Брусникин, — не торопиться со вскрытием, а дождаться ночи... и вскрыть без посторонних.

— А чего нам бояться? Если там действительно стратегическое вооружение, аппараты какие и прочее, то личный состав батальона это и без нас знает. А если там... мыло (есть или было)... то какой нам теперь смысл из этого делать тайну? Мы опозорились до конца своих дней, и наш позор все равно станет рано или поздно всем известен. Вот и разъезд. Брусникин!

— Я!

— Распорядитесь остановить поезд и загнать его на запасной путь.

Рванул Зубров печати так, что, казалось, и кусок металлической двери вырвал. Скрипнули запоры, открылась дверь и Зубров вошел в двадцатипятитонный контейнер, как в пустую камеру человек на пятьдесят. Он прошел в самый конец, туда, где у дальней двери валялся разбитый ящик с брикетами в желто-зеленой упаковке. Зубров поднял один, развернул, понюхал. Прочитал этикетку — «ZEST» и бросил на пол.

Глава 14

ХЛЕБ НАСУЩНЫЙ

Петрович оторвался от бинокуляра и прикинул кинжал на ладонь. Все шло одно к другому: и вес, и форма, и нежный муаровый узор.

— Да ты, Петрович, может, сам из XII века сбежал? — ахнул Санек, когда Петрович впервые выдал ему серию булатных клинков.

Делано было добросовестно, по-старому. Чистое железо рубилось не слишком мелко, и раз положены были угли из кожуры граната — то именно такими углями это все пересыпалось, а потом уже шло в муфель. По поверхности каждого куска образовывалась высокоуглеродистая сталь — твердая и более плавкая, чем мягкое железо сердцевины. Каждый кусок был сплавом твердости и эластичности. Потому булатный клинок рубил любой встречный, но им и опоясаться можно было без риска сломать — если, конечно, хватало длины.

Отковывал Петрович на пневматическом молоте. Зарождающийся в желтом пламени булат он мял, скручивал, раскатывал в тонкий лист, сминал гармошкой и ковал снова. От того и получался муар на клинке, а старинные мастера еще ухитрялись выводить структуру в рисунок. По легендам, и птицы бывали на тех клинках, и всадники — но таких Петрович никогда не видел и сомневался, правда ли. Он знал, что когда-нибудь и сам попытается, но теперь было не время. Из того времени, что было теперь, Петрович охотно сбежал бы в тот самый XII век.

Калили они вместе с Лехой, в воздушном потоке. Только вместо лихого коня, на котором скакал юный подмастерье, размахивая по ветру малиновым от жара клинком — был прозаический вентилятор. К немалому огорчению Лехи.

Пора было, однако, идти в мастерскую.

— Ну что, готово? — спросил он парнишку, вставшего ему навстречу.

— Форма готова. А какой век задувать будем, батя?

— Эх, Леха, третий год учу делу, а уму-разуму — семнадцатый... А ты до сих пор такие вещи спрашиваешь. Как малец, ей-богу.

Он разложил на столе фотографии.

— Ты под какой стиль модель лепил?

— Вот под этот, — Леха ткнул пальцем в крайний левый снимок.

— Ну и какой это век?

— Пятнадцатый, — просопел Леха.

— Вот его и задувай.

Неделю тому назад Петровичу заказали японскую бронзовую вазу, и он впервые поручил всю работу от начала и до конца сыну. И видел, что не ошибся, но радоваться вслух считал излишним.

В прошлом веке возраст шедевров эксперты определяли по стилю, по трещинам в краске или дереве, патине на поверхности металла — этак на глазок. Искусственно состарить можно все, что угодно, но нельзя сказать, что прошлый век был таким уж золотым для мастеров антикварных подделок. Иные эксперты обладали не только глазом, но и нюхом — и с ним было не сладить.

Но вот двадцатый век принес углеродный анализ. По радиоактивному распаду изотопов углерода стало возможно определить возраст вещи довольно точно. Решающее слово оценки перешло от чутьистых знатоков к педантичным физикам, зачастую неспособным отличить на ощупь каррарский мрамор от египетского алебастра. Знай себе отколупывай кусочек да суй его в прибор, а уж машина выдаст возраст в цифрах. Тут-то и наступил золотой век, и первым это понял Петрович.

Он прочитал статью об углеродном анализе еще в бытность свою молодым инженером в Академии наук. Он не только любил машины, но и понимал их. Он знал, что машина выдаст любой результат, который нужен человеку, и что этим человеком будет он.

На следующий день он пошел проведать знакомого археолога, холостяка, который охотно расплатился с ним головешкой из скифского кургана за починку стиральной машины. Уже тогда Петрович увлекался литьем по выплавляемой модели.

Остаток древнего костра был растерт в порошок и задут в приготовленную к литью форму. Полученную бронзовую фигурку Петрович наладил на анализ, и результат был: шедевр IV века до Рождества Христова. Что он способен делать шедевры — Петрович и не сомневался, но продавать свои работы было позволено только одной категории лиц: членам Союза художников. Мало того, что большая часть заработка шла в карман государства. За членство надо было платить еще и верноподданностью тому же государству. Каковая верноподданность должна была периодически проявляться в работах членов союза — по мере государственной надобности. А это для Петровича было слишком. С малолетства он откуда-то знал, что душу во все века продавали одному и тому же покупателю.

Раз нельзя зарабатывать работами двадцатого века, рассудил Петрович, — обратимся к векам другим, а предки пусть не взыщут.

Он споил ведро водки лаборантам института археологии и обзавелся коллекцией почтенных головешек с возрастом от X века до Рождества Христова и до наших дней. Он сжег в печке свою написанную, но не защищенную еще диссертацию о сварке взрывом. Переселился к обрадованному до изумления свекру в подмосковную деревню Храпово, к тому времени почти обезлюдевшую. И взялся за дело.

Через три месяца коллекция американского миллиардера Харальда Пламмера пополнилась великолепно сохранившейся греческой статуэткой-светильником эпохи великих мастеров. Деньги Санек и Петрович честно поделили пополам. За пару лет к Петровичу в деревне прибилось еще несколько специалистов. Он привечал всех, умеющих что-то делать своими руками. Поладить с колхозными властями было легко: им вечно требовался ремонт техники. Потом, когда уже непонятно стало, какая где власть, — поселок продолжал процветать. Умельцы делали все, чего требовал черный рынок, — от икон до сварочных аппаратов. Только наручники и прочую дрянь Петрович наотрез отказывался производить.

Коровник, приспособленный под литейный и кузнечный цеха, выглядел заброшенной развалюхой. Это было золотое правило поселка: не вводить в соблазн возможных грабителей. Но внутри торцевой дубовый пол в желтом свете натриевых ламп будто и не топтан был представителями каких угодно властей. В цеху красовалась новенькая машина центробежного литья фирмы «VIGOR». Ее Петрович по Санькову посредничеству выменял у посла Марокко на египетский ларец времен фараонов XIV династии.

Бронза была уже доведена до нужного градуса. Как толпа на площади, почему-то подумал Петрович и вытащил из сейфа банку с наклейкой «XV век». С полчайной ложки черной пыли он осторожно пересыпал в фарфоровую чашечку приспособления, напоминающего турецкий кальян. Одну из трубок «кальяна» он вставил в литник формы и, сплюнув через левое плечо, вдул пыль.

— Ну, Леха, мерь температуру! Порядок? Льем!

Жидкая бронза, хлопнувши, перелилась в фарфоровую ванну, и Петрович тут же включил рубильник. Центрифуга взвыла, как сирена, и бронза шарахнулась в укромные закоулочки.

Петрович уже закуривал вторую сигарету, когда Леха, отстегнув защелки кожуха, вынул форму. Коническое отверстие литника было наполовину пустое, и Леха заулыбался. Заливка явно удалась. Петрович даже не стал смотреть на форму.

— Порядок, Леха, кидай ее в щелочь, а завтра с утра начинай чеканить.

Выйдя из коровника, он сразу же увидел две машины: Саньковы «жигули» и огромный военный тягач с цистерной. Санек уже ожидал его в доме, сидя на полированной колодине из разбитого молнией дуба.

— Привет, умелец!

— Здорово, деляга!

Это было их обычное приветствие. Санек заверил Марью, что она все хорошеет, осведомился про Леху и остальных четверых, достал гостинцы: шведские витамины для детей. Марья, прихватив визжащую четверку, уплыла готовить чай. Мужчины остались беседовать.

— Я тут тебе, Петрович солярочки привез пять тонн, как обещал.

— Благодарствую.

— Еще нужно? Не проблема, поверь.

— Да еще столько бы не помешало. Производство у меня энергоемкое, сам знаешь.

— Бу сделано. Дело у меня к тебе, Петрович. Даже два.

Санек поднял с пола длинную деревянную коробку, поколдовал над замками и распахнул. Петрович бережно размотал яичного цвета замшу, и две кривые булатные сабли, казалось, приподнялись из ящика, как змеи. Петрович присвистнул:

— Сколько лет мечтал в руках подержать! Разве ж через стекло почувствуешь! Видать, в Москве совсем уж дела хреновые, раз до Оружейной палаты добрались.

— Там сейчас не до сабель.

— А до чего, хочу я знать! — завелся Петрович. — Помнишь, ты мне год назад начал кольчуги заказывать — ведь не антик какой-нибудь, а для наших лбов, чтоб сейчас носить! Это что же — без кольчуги по улице не пройдешь?

— По улице-то пройдешь, — усмехнулся Санек. — Это для тех, кто на площадь выходит. Лопатами ведь разгоняют!

Тут вошла Марья с чаем, и Санек стал восхищаться пирожками.

— Спасибо, жинка, — улыбнулся Петрович.

— Поди скажи Лехе, чтоб с соляркой разобрался, бензовоз во дворе стоит. А после пусть приходит.

Санек добавил в чай меду, прихлебнул и блаженно откинулся. Из внутреннего кармана куртки он достал кожаный мешочек, а из него сыпанул на стол горсть красных матовых камешков.

— Это на рукоятки. Необработанные. Шесть копий с каждой просят, и чем скорее, чем лучше. За сколько успеешь?

— За месяц сделаем.

— Рубины натуральные, индийские. Тут их с запасом. Остаток придержи у себя. Да и оригиналы сабель тоже припрячь, может, еще копии понадобятся. Дела сейчас идут быстро.

— Этак ты мне скоро, Санек, мумию Ленина на копированье приволочешь! — усмехнулся Петрович.

— Ты недалек от истины, хоть плачь, хоть смейся! Ко мне на сей предмет уже подъезжали. У одного американского миллиардера блажь. Он, видишь ли, популярных покойников коллекционирует. Недавно ему за миллион левую ногу Мао Цзедуна продали.

— Иди ты!

— За что купил, за то и продаю. Он, бедняга, все сокрушается, что Гитлера сожгли. И за Ленина очень даже беспокоится. Скотленд-Ярд, узнав о его пристрастии, начал охранять могилу Карла Маркса, и как раз вовремя. Дважды неизвестные люди откопать пытались.

— Ну-ну, дела пошли! Но ты, Санек, не вздумай, гляди! Сходите с ума как хотите, а я мертвечины не люблю. Какое твое второе дело?

— Помнишь, года три тому назад ты мне одно письмо старил? Про скрипача и козу?

— Как же! Этюд Шагала, миру неизвестный, и где находится — неизвестно. Что, теперь сама картина понадобилась?

— А, змей, смеялся тогда надо мной? Говорил — лапша на уши? Нет, говорил, дураков? Так теперь за срочность — двойная оплата!

Петрович поднял руки:

— Сдаюсь, не вели казнить! А как срочно нужно?

— Как всегда. На вчера нужно. Но недельку можно подождать.

Вошел Леха и, поздоровавшись с Саньком, доложил: с соляркой порядок, за полчаса сольется.

— Хорошо, Леха. Сбегай-ка теперь в погреб. Там над бочкой с квасом две полочки, знаешь? Так ты мне с верхней принеси картинку — ту, что с козой. Она там в стойке вторая будет. Да поаккуратней, гляди!

Санек расхохотался, поперхнувшись чаем.

— Ну, умелец, ты велик! С меня бутылка!

— Оставь при себе свою бутылку. Я того бродягу, что намалевал, полгода из запоя выводил, пока у него уши торчком не встали. Не порть мне кадры!

Санек ехал обратно в Москву. Завернутая в рогожу картина «Скрипач и коза» лежала на заднем сиденье его машины. Так начиналось ее путешествие — от бочки с квасом, через дипломатическую почту и Парижский аукцион — к ненасытным любителям изящных искусств.

Санек думал о Петровиче. Никогда он этого мужика понять не мог. Но, будучи убежденным жуликом, и облапошить его не мог, хотя тот бы и не заметил. А почему не мог — сам не знал. В конце концов он решил, что из суеверия. Сплюнул и глянул через левое плечо. Но месяц стоял за правым.

Племяш уверенно вел машину. Санька, как всегда после встреч с Петровичем, потянуло на философию.

— Вот скажи мне, Племяш, есть на свете душа или нет ее?

— Есть, дядя Саня.

— Откуда ты знаешь?

— А как же иначе можно из человека душу вытрясти?

— Грубый ты, Племяш. Нечуткий.

— А ты, дядя Саня, видишь — человек за рулем. Так ты хочешь философию разводить или домой в целости приехать? Ну, задумаюсь я на обгоне — вот тогда ты и узнаешь, есть ли тебе чего Богу отдавать.

— Да ты у меня поумнел, мой мальчик! Растут дети... Скажите пожалуйста! Но у меня вопрос был риторический, а риторический, дитя, это такой, на который отвечать не надо. Вот, например: есть ли душа у вещей? Что значит: делать вещь с душой? Это со своей — или с ее? Молчишь. Молчи-молчи...

— Ты лучше скажи, дядя Саня, почему бы нам на Запад не сорваться? Счет там в банке у тебя есть, я еще молодой, спортивный. В профессионалы выйду. Они знаешь сколько заколачивают?

— Сорваться, Племяш, не проблема. Но только я этого не сделаю и тебе не советую.

— Что, популярная программа сейчас будет? Березки — ручейки?

— Не хами дяде, неслух! Ты у меня дурак, но не настолько. Я тебе даже не буду объяснять, что, скорее всего, ни в какие профессионалы ты не выйдешь, а будешь вышибалой в парижском бардаке. А я открою какой-нибудь бизнес и даже разбогатею. И не надо будет каждый день башкой рисковать, живи — не хочу. Так я, Племяш, боюсь, что и не захочу. Ни размаха, ни риска, и к тому же знаешь, что завтра будет. Вот ты скажи, что будет в Москве через месяц?

— Не знаю, дядя Саня.

— Вот, правильно. И никто не знает. А что будет в Нью-Йорке — это я берусь предсказать. Более или менее точно. Так мне тут интереснее, а что башку могут оторвать — то поэтому я тебе о бессмертии души толкую: азартный вопрос. Что у нас на кону — не знаем, а рискуем. Дядя у тебя игрок, а ты у дяди — амбал. Впрочем, захочешь ехать — отслюню капусты, не обижу. Ты мне свободный нужен, а то всю игру изгадишь в осознанную необходимость.

— Не, дядя Саня, я один не хочу.

— Ну так девку прихвати, виснут небось? И хватит об этом: раньше переспи с этой мыслью, а потом решай.

За разговором Санек даже не заметил, как они подъехали к патрульной заставе на въезде в Москву. Застава выглядела необычно.

Поперек дороги стоял легкий танк. У обочины повалился набок обгоревший автобус. Там же было что-то накрыто брезентом, а Санек знал, что накрывают брезентом в наши времена. Моложавый капитан в полевой форме, с автоматом на плече подошел к машине. С ним были трое солдат, явно не первогодки.

Санек, не выходя из машины, сунул ему малиновую книжечку. Это было удостоверение Совета Министров, дающее право игнорировать комендантский час и въезжать в Москву без досмотра машины. Это удостоверение ему организовал всемогущий Алихан.

Капитан, глянувши в книжечку, небрежно козырнул и крикнул солдатам у танка:

— Пропустить!

— Что тут случилось, землячок? — Санек кивнул в сторону автобуса.

— Да опять малолетки. Не успеешь одну банду извести — другая лезет. Эти за оружием сюда нагрянули. Четвертый раз за последний месяц.

— Потери большие?

— Да нет. На счастье, патрульный вертолет близко случился, поддержал с воздуха. Двоих солдат и прапорщика наповал, да двое раненых.

— А эти? — Санек поглядел на брезент.

— Как приехали восемнадцать пацанов, так все тут и остались. С вертолета их ракетой приголубили. Двигай теперь, танк отъехал.

— Всех благ тебе, капитан.

Остаток дороги они молчали.

Глава 15

ОТЧАЯНЬЕ

Дождь хлестал броневые стены, а ветер свистел в орудийных стволах и антеннах. Стволы не зачехляли, антенны не убирали. Некому было. Эшелон как встал на разъезде, так и застыл. Тут и ночь навалилась, но света не было. Некому было запустить дизель тепловозный. Бухала в темноте кем-то давно распахнутая дверь. В выбитое туалетное окно ветер нагнал кубометры воды, которая растеклась по коридорам, смешавшись с грязью.

Страшные вещи творились той ночью в эшелоне, неизвестно за что названном Золотым. Что везли-то? Какое такое золото? Ради чего командир на смерть вел?

Первый взвод сцепился в кулачном бою с третьим. В жуткой ночной драке в темноте били ножами и в животы, и в глотки — куда выйдет. Дрались ремнями, кастетами, ломили головы прикладами. Почему не стреляли — неясно. Просто никто не додумался. Уж если б додумались — стреляли бы. В шестом взводе резали взводного. Резали долго, по кускам, большим и малым. Девятый взвод дорвался до водки, перепился до самого края — и пошла там рубка лопатами.

Власть Зуброва, власть одного человека вдруг кончилась. Кончилась как-то сразу и тихо. Без официального отречения. Он, осознав свой позор, просто сгинул с глаз людей. Вроде сам с себя сложил полномочия и не говорил никому ничего, но все это разом поняли и озверели. Не солдаты они теперь были, а толпа мерзавцев, убийц и насильников. Возьми их любая злая рука — и пойдут они, не спрашивая: в банды, в охрану лагерей, на городские площади рубить людей лопатами. Пусть и с них Россия теперь не спрашивает.

Кто знает, почему так случилось, но было именно так, даже хуже: в темноте той не все замечено было, не все пьяная память ухватила, а если и ухватила, то кому ж было рассказать?

Той ночью мало совсем трезвых было в эшелоне. Но были. Трезвым был Чирва-Козырь. Ночью той он решил осуществить давно задуманное. Вышел на платформу с машинами, прислушался. Совсем рядом били смертным боем свои своего за воровство. Что уж он там украл — не выясняли. Каждого одно занимало: только бы вдарить!

Подставил Чирва-Козырь две доски к заднему борту платформы, закрепил их как следует, снял ГАЗ-166 с тормозов, поднажал плечом — и скатился ГАЗ в темноту. Из подвагонного ящика достал Чирва мешок с теми самыми золотыми царской чеканки и пожалел, что мало успел тогда из сейфа нагрести. А потом уже не подступиться было. Да и сейчас ему в командирский вагон лезть не хотелось: мало ли на что нарвешься! Будет с нас и этого! Ишь, тяжесть какая! Бросил Чирва туда же в машину ящик тушенки да ящик автоматных патронов, калашникова на плечо вскинул и пошел в последний раз в вагон. За бабами.

Мало их в поезде осталось. Как только вскрыл Зубров контейнер, как только обнаружил обман — так и прокатился телеграфом слух по поезду, и девки исчезли — вроде не было их тут. Учуяли, что сейчас будет опасно. Какая на проходящий встречный поезд вскочила. Какая, подтянув юбку куда как выше колен, остановила неизвестно откуда вынырнувший грузовик с лихими странниками да и укатила с ними. Какая, подхватив узелок с пожитками, просто сгинула с глаз — и все тут. Остались в основном те, что решили гульнуть напоследок, под занавес. До Москвы уж не доехать было. Много ли той жизни осталось — так уж погуляем, девчата, погуляем!

Бредет Чирва-Козырь по вагонным коридорам, распихивая пьяных да храпящих. Скликает баб вполголоса. Угомонился уже эшелон, только стоны раненых да побитых. А девки вроде как ждали зова — сползлись, даром что блудом утомленные. Из собравшихся Чирва троих выбрал. Самых звонких — задорных. Каждую по голосу узнает.

— Со мною девоньки не пропадете!

Смеются девки. Рады, что Чирва с собой берет.

— Вот сюда, сюда ступай. Да не шумите же, горластые!

Тут-то и ухватила Чирву за горло чья-то лапа. Да такая громадная, что уж никак не ошибиться было, определяя владельца.

Салымон в ту ночь тоже трезвым был. Бегал по вагонам, стыдил, драки разнимал, пока не понял: бесполезно. Зинке велел сидеть в купе под койкой, не вылезать. Спас Драча от расправы, тоже в купе загнал. Драч все Любку искал, но Любка — умница-баба, в том купе уже сидела с самого начала. Туда же Салымон Поля привел. Поль, когда Салымон его нашел, отбивался от двоих пьяных лопатой — неграмотно махал, но старательно. Отбил его Салымон, разъяренного и не понимающего, отчего весь этот разбой, и сдал Драчу с рук на руки: целее будет. Хотел и за Оксаной присмотреть, в дверь стучал броневую. Но тихо за дверью. Так пускай Зубров сам разбирается! Ко всем чертям такого командира!

А как утихли вопли и впал эшелон в пьяное оцепенение — так и услыхал Салымон тихий зов Чирвы-Козыря, подождал его в темноте, да и взял за горло.

— Ты куда ж это, сукоедина, собрался!?

— Салымон, братец ты мой, отпусти! — взмолился Чирва. — В степь иду.

Не спросил Салымон, зачем Чирва в степь идет, в глухую ночь, в проливной дождь. А просто разжал лапу и ничего не сказал.

Уже целый век сидела Оксана в углу командирской рубки, на узкой койке, укрывшись полковничьей шинелью. Что творилось, мамочка, что творилось! Встал эшелон. Потом беготня вдоль вагонов. Потом орал кто-то на кого-то. Бегали по коридорам, в дверь стучали осторожно, спрашивали ее. Но не тот голос спрашивал, который единственный узнала бы Оксана. Дальше крики были — такие, как она уже раз в жизни слышала. В дверь ломились, били прикладами, но броневая дверь устояла. Потом кто-то подтянулся на руках, ухватившись за срез брони, и наглая рожа глянула в стекло.

Тут Оксана в первый раз встала со своего места, нажала рычаг — и заслонка сорвалась со стопоров, прищемив подонку пальцы. Но и свет перекрыла полностью, вроде как выключателем щелкнули.

Так и сидела Оксана в темноте, не зная — день ли, ночь ли. Зубров все не шел. Где же он, господи? Не убили ж его? Или убили все-таки? Или он сейчас из последних сил отмахивается, пока она тут в купе отсиживается?

Сорвалась Оксана с койки, с грохотом во всю ширь распахнула дверь и ступила из одной темноты в другую. Вернуться за фонарем? А где фонарь? В рубке света нет — щелкай не щелкай. Ощупала все вокруг — нет фонаря. Но должен ведь он быть! Если полковника разбудят ночью в абсолютной темноте, то его правая рука должна до фонаря дотянуться. Оксана легла на спину, затылком на его подушку. Да где же? Стоп, дурочка, у полковника ведь руки длиннее! Слегка привстала, протянула руку, и ощутила ребристый холодок. Нашла кнопку, и яркий столб света уперся в потолок.

Теперь — вперед. Коридором — к выходу. А вдруг поздно уже? Она с трудом открыла запоры на броневых дверях. А двадцатизарядный стечкин так и остался в рубке.

Бегом вдоль поезда, бегом! Вот и тепловоз. Как ветер свистит-то! Поручни холодные, дождем вымочены. Ступеньки высоко от земли. И дверь заперта. Посветила Оксана в окно фонарем — вроде никого нет. Тогда — во вторую кабину. Тут дверь открыта, но и тут никого. Тогда дальше, мимо цистерны чумазой, на платформу. Ой, мамочка, не влезу! Влезла. Тут контейнер какой-то. Прощупала его фонарем. Из дальнего угла глянули на нее чьи-то волчьи глаза. И еще пара, и еще. Зарычали, светом ее потревоженные, и звякнула бутылка о стену, у самого ее лица, осыпав осколками. Не смотрела она больше в контейнер, поняла, что тут ее полковника нет.

Тогда в вагоны. Прошла все три коридорами. Как прошла, как миновала дикие драки, как живой осталась, — она того не знала и не помнила. Нет, уважение к Зуброву не защищало ее теперь: не было уже уважения. Наоборот, если бы признал в ней кто девчонку из командирской рубки — то не прошла бы она дальше первых полок, тех, что у самой двери, на которых шло главное веселье. Но не узнавали пьяные в этом щупленьком солдатике лица противоположного пола: форма уберегла. А может, и не форма, а что другое. Но ни кулаком, ни штыком, ни лопатой не зацепили ее в двух первых буйных вагонах. А третий уж успокоился. Храп да стоны. Что-то Оксане подсказало, что тут фонарь включать не стоит — только пьяные морды слепить. Не мог быть ее полковник среди пьяных, сонных и раненых. Он или убит, или среди трезвых.

На фоне окна вдруг увидела чью-то гигантскую фигуру, явно не пьяную, не храпящую и не стонущую. Поняла, что не полковник это, и скользнула мимо незамеченная. В темноте она уже многое различала, и фонарь ей не нужен был. Она прижимала его к груди просто так, вроде защищаясь им.

Где же полковник, где он?

Оставалось только вернуться в бронированный вагон и искать там.

А где ему еще и быть, как не на командном пункте! Может, он и сидел там целый день, прямо за стенкой? Командный пункт, как и командирская рубка, закрыт броневой дверью ото всех посторонних. Из коридора не войдешь, если изнутри заперто, но ведь между собой командный пункт и рубка разделены только дверочкой легонькой! Как же она, дуреха, не догадалась заглянуть за эту дверку перед тем, как начать свой путь вдоль всего поезда! Но ведь тихо было за той дверью... Вот это и страшно, что тихо.

Кошкой неслышной, вымокшей и дрожащей, сгибаясь, чтоб устоять на ветру, вдоль всего эшелона — обратно туда. Успеть бы только, мамочка, только бы успеть! Что успеть — она и сама не знала.

Зубров тем временем проигрывал, и чем дальше, тем крупней. Играл он в рулетку. В гусарскую рулетку. В самую захватывающую игру, какую только придумали люди. И гордился Зубров тем, что придумали ее русские офицеры. Играл он сам с собой, точнее, с судьбой своей. Но пошаливала судьба.

Достал он свой «магнум», от которого так и пахнуло свежестью афганских перевалов. Зарядил. Не шестью патронами, а одним только. Остальные пять отверстий барабана оставил пустыми, крутанул магазин и приставил дульный срез к виску. Крутится весело барабанный магазин у самого уха. Но нет Зуброву сегодня удачи: щелкнул курок по пустому месту. Глянул, сильно ли судьба ошиблась. Нет не сильно: патрон в следующем отверстии сидит.

Если б можно было кого — на дуэль и честь свою защитить! Но кого тут в степи вызывать? Сентябрь ли месяц, дождь ли, ветер? Вот и крутит Зубров барабанный магазин по новой. Хоть и знает, что секундантов в этой дуэли нет. А что у него осталось на свете, кроме офицерской чести? Не ее ли Зубров блюл в чистоте — пуще даже, чем сапоги свои ослепительные? А теперь и ее не уберег... Волчара спецназа, зверюга-офицерище, матерый комбат, целовавший шелка самых знатных гвардейских дивизий, сидит тут в углу. И сапоги его в первый раз за всю службу нечищены. Нет ему дела до них теперь, когда честь его дегтем измазана, как ворота деревенской потаскухи.

Крутанул полковник снова барабан — со злостью, чтоб вертелся подольше. Вспомнил прежнего владельца револьвера своего: то был большой человек, бородой заросший по самые глаза. Видно, из главных, из сильных. В нем Зубров лидера почувствовал. И не то что Зуброву жалко было его в бою убивать. Но после боя затосковала как-то душа. Вроде как себя убил, казалось. Потому, хоть особой чувствительностью он не отличался и убивать привык, — взял себе полковник револьвер того человека и не отдал в трофейную команду. И владельца первого в лист своих боевых заслуг не вносил. Вспомнил Зубров тот снежный перевал и нажал на спуск.

Ну же, бородатый! Пускай хоть твой револьвер порадуется! Черта с два. Уж как не повезет — так не повезет. Тогда степень риска увеличим. Загнал Зубров еще один патрон. Только успел крутануть — как дверь кто-то дернул. Не дают человеку в рулетку поиграть! Кого тут еще черти принесли? А шаги уже в соседней комнате — в командирской рубке. Отворилась дверка, и по глазам Зуброва полоснул луч.

Он не знал, что Оксана ищет его. Он про девчонку и забыл совсем. А она ясно видела уже момент, когда войдет она в тесную кабинку командирского пункта — и не застанет там никого. И тут уж будет всему конец, и пускай тогда дождь и темнота до скончания века. Вот и броневая дверь. Рванула — заперто. Ну, тогда через рубку. Дверь осталась распахнутой, как она и оставила. И стечкин двадцатизарядный на том же месте лежит. Вот потянешься за ним, а тебя кто-то притаившийся из темного угла — за горло! Страшно шагнуть. Прыгать надо.

Прыгнула, схватила, дверь броневую за собой захлопнула с лязгом и заперла. Перевела дыхание, теперь уже спокойнее рубку осмотрела, все углы обшарила фонарем. Теперь и пистолет вроде ни к чему. Осталось открыть последнюю дверь — и убедиться, что Зуброва и там нет. И открыла, уже ничего не боясь. И первое, что выхватил луч, — были два грязных сапога сидящего на полу человека. Он смотрел на нее равнодушным взглядом. Рядом на полу сверкнул вороненый револьвер. Оксана, конечно, о гусарской рулетке понятия не имела, но испугалась снова: неживые глаза сидящего! Но тут он шевельнулся и что-то спросил, и Оксана без сомнения узнала своего полковника. Этого ей было достаточно. Зазвенело что-то у затылка, и понесло Оксану, понесло — влево и вверх, закружило по спирали, и стало ей тепло и легко.

Подхватил Зубров девчонку на руки — мокрую и холодную совсем. Живая, нет ли — не понять.

На кровать ее. Голову ниже. Подушку к чертям долой. А ноги повыше. Ничего во мраке не разобрать. И фонарь ее разбился при падении. Рубанул выключатель. Нет света. Тогда на ладонь выше — выключатель аварийного освещения. Щелкнул, и плохо ему совсем стало. Даже когда в гусарскую рулетку играл — и то на душе веселее было.

Свет аварийный — синяя лампочка под потолком. С детства любил Витя Зубров синий свет в вагонном купе. Стучит себе экспресс одиннадцать суток. Как сейчас помнил Зубров те ежегодные поездки. Одиннадцать суток туда, одиннадцать обратно: курьерский поезд «Москва—Владивосток». Прет экспресс, стучит на стыках, по два раза в сутки останавливается — и то для того только, чтоб локомотив поменять, как лошадей почтовых в былые времена. А по вечерам отпускные офицеры в карты режутся, и папаша Витин — всей компании голова. А по ночам — свет синий-синий в купе, и колеса: та-та, та-та. Красота.

А вот сейчас испугал его синий свет. Лежит на койке девчонка, вроде ребенок, а вроде — женщина уже. Лицо правильное и белое-белое, а в синем свете — мертвое совсем, и оттого, может быть, прекрасное, в окончательном совершенстве.

Взревел полковник зверем. Жалко красоту такую смерти отдавать. Рванул рубаху на ее груди и тельняшку полосатую спецназовскую. Весь свой опыт выложил, сердечко ее массируя. Сдохну, а такое добро не отдам безносой! Может, сгодится кому еще. Жалко полковнику вещичку, так ладно сработанную, терять. В армии приучили бережно относиться ко всяким ценностям.

Сколько ему в жизни раненых доводилось в чувство приводить, первую помощь оказывать, врача не дожидаясь. Аптечку походную рывком разорвал — и флакончиком прямо в нос ей. Трепыхнулась Оксана. Тихо ей, тепло — зачем же потревожили? И чувствует: раздевают ее совсем. Этого она позволить не могла и рванулась, закрываясь. Обозлился Зубров: было бы что прятать!

— Знаешь, подружка, сколько я таких, как ты, в жизни видел! Лежи, не дергайся!

Обидно ей стало, что и слез не сдержать. А Зубров ее лапами поднял — и в душ. Горячей воды нет. В этом он уверен, но видит, что промокла и замерзла она так, что и до беды недалеко. И сейчас любой душ, пусть самый холодный, — во спасение для нее: кровообращение срочно восстанавливать надо.

Включил он воду, взвизгнула Оксана от холода, но кричать ей долго гордость не позволила. Зубров всю ее мочалкой растирает. А вода потоком — и на одежду его, и на пол рубки командирской. Вытащил — и давай полотенцем жестким растирать, потом достал из запаса своего бутылку водки с золотой этикеткой «Адмиралтейская», налил серебряную чарочку: пей. Аж огнем ее всю прожгло. То-то.

Теперь он водкой край полотенца смочил и уж окончательно ее растер и одеялом укрыл.

Жизнь мотала полковника Зуброва по таким холодным и мокрым местам, что и вспоминать не хочется. И потому в любой ситуации любил он восполнить недостаток комфорта в прошлом и обозримом будущем. Ценил он куртки меховые, плащи непромокаемые, обувь добротную, постель мягкую. Когда мог — имел с собой и подушку лебяжьего пуха, и одеяло верблюжьей шерсти. Не всегда и не часто такое бывало, но тут в поезде именно такой момент выпал.

Быстро согрелась Оксана под одеялом, ушел озноб, только обида не ушла. Уязвил ее полковник упоминанием о многих женщинах, которых он тоже раздетыми видел. Казалось бы — какое ей дело, мало ли что в жизни бывает. Но нет, захотелось и ей уязвить его, сказать что-то обидное. Зубров тут же рядом крутится, нехитрый очень запоздалый ужин на двоих готовит: банки открывает консервные, мясо копченое офицерским ножом пластает, овощи достал, водки понемногу в две стопки разлил.

Посмотрела Оксана на одежду его, под холодным душем измоченную, на щеки небритые, на сапоги грязные и полюбопытствовала:

— А вы всегда, полковник, в таком виде ходите? А перед подчиненными не стыдно?

Смолчал Зубров, только кубометр воздуха с шумом вздохнул. А она продолжала:

— Сбросьте сапоги свои великолепные, побрейтесь, душ примите. Жаль, воды горячей нет. Меня можете не стесняться: я таких, как вы, полковник, знаете сколько встречала? А если очень стесняетесь — я отвернусь.

И отвернулась.

И тут сдержался Зубров. Права девчонка. Просто комнатка маленькая совсем, да и ею же, неблагодарной, занимался. Ладно. В рубке навел порядок революционный. Разделся. Одежду и сапоги в соседнюю комнату выбросил. Ледяной водой долго с удовольствием мылся. Привычен. Бодрость по телу разлилась. В аварийном свете не очень себя видно, но ничего: выбрился тщательно. Растер щеки дорогим французским одеколоном: у начальника разведки Одесского военного округа такие вещи даже и в смутное время имелись в запасе. Закутался в теплый халат, завязал на шее шарф шелковый и позвал:

— Товарищ принцесса, можете повернуться!

Окинула его взглядом, одобрила мысленно. Но тут же представила полковника в этом самом халате с золотыми китайскими дракончиками, в такой вот приятной полутьме, в обществе роскошной дамы. Дама эта представлялась ей лет тридцати, блондинка этакая, чуть полнеющая. Так и сузились зрачки у Оксаны от ненависти. Но в аварийном свете этого было не различить.

Подал ей Зубров чарочку. Сам выпил умеренно. И она выпила храбро: хорошо, что водка «Адмиралтейская» ото всех других водок особой мягкостью отличается. Чуть к еде притронулась — и почувствовала вдруг, как голодна. Но блондинка та стервозная сильнее голода оказалась. Так и видит Оксана эту бабу рядом со своим полковником. Оба спокойные, уверенные, никуда не спешат... Так ей себя жалко стало, так за себя обидно! Сама она себе представилась мокрым щенком, потерянным в жуткой черной степи. Нашел ее человек, вытер-высушил, накормил, спать в тепле уложил. Бережет, жалеет, а за человека не считает. Пожевала Оксана ломтик булки — вот и весь ужин. Полковник тоже не засиживался. Спросил взглядом, налить ли ей еще водочки. Не налить. Налил тогда себе, выпил и откланялся:

— Спокойной ночи, детеныш.

И опять взорвало ее. Да кто ему дал право обращаться с ней, как с ребенком! И захотелось уязвить полковника, да он уже вышел в командный пункт и дверь за собой закрыл.

— Полковник, вы куда убежали? Вы что — женщину испугались?

— Какую женщину? — не понял полковник за дверью.

Хуже этого ее никогда не обижали. Стечкина бы сюда, она б ему показала! Но стечкин мирно лежал на своем месте. А с полковником рядом был другой револьвер, когда она распахнула дверь и сидел он, повесив руки, и глаза у него были неживые. И сейчас он там же сидит. Ее уложил, а сам сидит и смотрит перед собой.

— Вы не спите, полковник?

— Нет.

— Мне холодно.

Молча вошел, снял с вешалки шинель, укрыл ее поверх одеяла и вернулся за дверь. Если ему снова сказать, что холодно, то он укроет ее еще чем-нибудь, а сам все будет сидеть и смотреть...

— Полковник...

— Да.

— Мне страшно. Тут он вошел и присел рядом на край поверх одеяла. В своем халате с китайскими дракончиками. И тут она снова представила всех женщин, которых он знал раньше. Почему-то их было четыреста шестнадцать, и она ненавидела их всех и каждую в отдельности.

— Полковник, правда, что у вас было много женщин?

— Правда.

— Четыреста шестнадцать?

— Не знаю, не считал.

Надо бы тут Зуброву так же безучастно подтвердить, что да — четыреста шестнадцать. Но заявить, что он их даже не считал, это уж слишком. Если бы все женщины оказались рядом — Оксана бы их просто загрызла, даже и пистолета не надо бы. Но женщин тут не было, и она укусила Зуброва — больно. Хоть не так больно, как ей бы хотелось. В шею укусила. И в губы.

— Эй, девочка, с огнем шутишь!

Сказал это полковник внешне спокойно, и потому она не поняла, что это предупреждение было единственным и последним.

Глава 16

ОТРЕЗВЛЕНИЕ

— Полковник, ты не спишь?

— Не сплю. Меня, между прочим, Виктором звать.

— А как тебя мама называла?

— Спиногрызом. А тебя?

— Ксаночкой...

— Бедный мой детеныш...

— А ты правда сегодня хотел стреляться?

— Дурочка, с чего ты взяла?

— Так. Показалось.

— Ну и перекрестись.

— Я тебе хочу сказать... Ты не будешь смеяться?

— Не буду.

— Честное слово?

— А без этого ты не можешь?

— Я теперь все могу. И смейся, пожалуйста! Я тебя еще тогда полюбила. На площади. Ты тогда был такой...

— С разбитой мордой?

— Не смей смеяться! Укушу!

— Ах, ты опять кусаться?

Простила Оксана всех своих предшественниц. Позавидовала каждой немножко и каждую пожалела: каково ж им было расставаться? С тем она и уснула, обняв его, стараясь удержать рядом хоть до утра. Ее все еще пугал вороненый пистолет.

Засерело в бронестеклянных триплексах. Минуточку бы еще полежать вот так, чтоб ее щека на плече. Или пять... Или десять... От таких мыслей, Зубров знал, одно спасение — рывком вскочить. Так разбудить жалко. Осторожно высвободился из обнимающих лапок. Нет, спит. Ее теперь до вечера не разбудишь. Укрыл потеплее: отоспись и за меня, малыш. В школу тебе не идти.

Развернул дальномер-перископ, осмотрел все вокруг поезда. После пьянки многие только к полудню проснутся. Это хорошо. Лучше под контроль брать по одному и мелкими группами, чем всех сразу. Пока брать некого. Спят. Не теряет Зубров времени: побрился-помылся, форму выгладил и за сапоги взялся, временами в перископ поглядывая. Обзор почти на полный круг, только прямо назад смотреть мешает зенитная башня и корпус тепловоза.

Вот и первая пташка: Салымон у последней платформы поднатужился да и поставил перевернутый ГАЗ-166 обратно на колеса. Не иначе — сорваться решил. Вообще-то правильное решение: что хорошему солдату в этой банде делать? Но вы, голубчики, у меня к вечеру бандой уже не будете. И ты, Салымон, никуда сейчас не поедешь. Пока я не прикажу. Хотел уж Зубров выйти, но передумал: не пойдет же хороший солдат в степь, не захватив запаса с собой. Особенно если банки консервные кто-то в грязь высыпал.

Точно. Вот Салымон расстелил брезент, где посуше, — и давай банки и ящики собирать. Собирай, Салымон, собирай. А мы пока последний глянец на левом сапоге наведем. Поглядывает Зубров на Салымонову работу и думает: сам Салымон не уйдет. Эту свою бубновую кралю прихватит. А вот и она, голубушка, из вагона выглядывает. Так. Взвалил Салымон на спину узел, для нормального человека неподъемный, и к машине его потащил. Вот теперь пора. Открыл Зубров броневой люк и легонько на землю спрыгнул.

Гадостное было утро. Угрюмое и серое. Рваные облака над землей несутся, того и гляди, крыши вагонные зацепят. Лужи необозримые. Холодно, сыро и противно, как в бане нетопленой. Плюнул Салымон под ноги себе: не ожидал он, что служба военная так вот безрадостно кончится для него в такой поганый день. Но, видно, кончилась служба, и пора было уходить.

Спит эшелон, не соображая еще, каково будет его пробуждение. Окна зияют разбитые, чей-то выпотрошенный матрас ветер рвет, а там под вагонами — ноги чьи-то. Кто знает: спящего ли, убитого?

Снять с платформы новенький ГАЗ Салымону совесть не позволила. Но рядом с платформой валялся еще один, вверх колесами. Его-то Салымон и возьмет. А то ведь так его тут и бросят ржаветь, как трактор на колхозном поле. По такому принципу он и припасы брал: из вагонов — вроде как воровство получается, а уж что в грязь побросали — то теперь ничье. Посадит он сейчас Зинку в кабину — и айда в других местах счастья искать.

Несет узел, в землю смотрит. Под таким грузом шею не разогнешь. Не поскользнуться бы в грязюке этой! Хуже, чем на широколановском полигоне, хотя хуже, как известно, не бывает.

Тут-то Салымон и увидел прямо по курсу два ослепительных сапога. Солнечные зайчики на них танцевали, хотя и солнца не было. И хоть головы Салымону было не поднять, чтобы рассмотреть владельца, — знал он прекрасно, кто такими фокусами с зайчиками знаменит.

— Куда же это ты, Салымончик, собрался? — спросил ласковый голос. И, видимо сообразив, куда именно Салымон собрался, похвалил его:

— Славненько, славненько. Повару Тарасычу помогаешь, о людях заботишься, продукты носишь. Славненько.

Бросил Салымон узел, выпрямился, вытянулся. Зубров перед ним свежий да чистенький стоит, выглажен, как на строевой смотр, выбрит — аж на Салымона одеколоном пахнуло. И глаза у Зуброва веселые.

— Славненько, славненько, — продолжал Зубров. — А как ты, Салымон, думаешь — хватит нам теперь продуктов до Москвы дотянуть?

— Хватит, — уверенно отрезал Салымон. — Едоков-то поубавилось. Скрипнул Зубров зубами, но улыбку беззаботную с лица не убрал.

— На сколько же едоков батальон сократился?

— Убито человек тридцать-сорок.

Тут Зубров снова скрипнул и беззаботность более не изображал.

— Точно не считал, — продолжал Салымон, — но раненых человек шестьдесят наберется, считайте — двадцать очень тяжелых.

— «Блаженная смерть» у нас в запасе есть?

— Есть из расчета по шприцу на весь первоначальный состав батальона.

— Тяжелых нам с собой тащить некуда и бросить негде. По всем традициям спецназа своих раненых сами колоть будем. Приходилось людей «Блаженной смертью» колоть?

— Приходилось, товарищ полковник.

— Так поможешь. Это нам на двоих задача.

— Понял.

— Еще убыль едоков есть?

— Так точно, есть. Но это нелегальных уже. Все бляди из эшелона сбежали.

— Все до одной?

— Нет, парочка осталась.

Зубров вдруг стал более вежлив, переходя на «вы», чего за ним в отношении подчиненных никогда ранее не замечалось:

— Товарищ сержант, те, что остались — не бляди, а женщины. Их уважать положено. И передайте всему личному составу, что за неуважение к женщине буду пороть шомполами, как и за неуважение к строевому уставу.

— Есть передать личному составу!

— А теперь водителя моего Чирву-Козыря ко мне! Надеюсь, хоть он-то не ранен?

— Не ранен, товарищ полковник. Он... сбежал.

— Ах вот как. Вы, товарищ сержант, конечно, приказали ему остаться, а он...

— Так точно, — врезал Салымон и покраснел, как до того краснел только раз в жизни, да и то в детстве. Только то и спасло Салымона, что Зубров в этот момент обозревал степь, и потому красноту Салымонову не заметил и лжи его, видимо, не раскусил.

— Итак, сержант Салымон, вы приказали Чирве-Козырю остаться, а он приказа не выполнил и не остался?

На вопрос командирский положено громким голосом отвечать «Так точно!», и голос должен быть чистым, как горный водопад. Вот этой-то хрустальной чистоты в голосе Салымоновом не прозвучало. Вместо этого хрип с бульканьем, вроде как горло прочищал, и трудно было уловить, что он там ответил. Но Зубров правильно понял ответ и не переспрашивал.

— Если, товарищ сержант, вы его упустили, то вам его и ловить.

— Поймаю, — уверенно ответил Салымон. — Степь раскисла, далеко не уйдет, и следы вон видны.

— Тогда ранеными я сам займусь, а ты езжай. Хочешь — узел с собой прихвати и женщину свою, чтоб не скучно было.

Ох же не прост полковник! Так вдруг, без предупреждения, под дых и врезать! И ведь видит Салымон, что позволит ему командир Зинку взять и припасы: хочешь, мол, обмануть и сбежать — так черт с тобой, заложников не держим. Обидно стало Салымону.

— Разрешите, товарищ полковник, лучше пару хороших ребят на дело взять.

— Можно и так, — согласился полковник. — Чирва-Козырь мне очень нужен.

— Живым или мертвым доставлю!

— Только живым, Салымон. Только живым.

Аспид уверенно вел ГАЗ-166 по следу, оставленному Чирвой.

— А ты, Салымончик, ничего необычного не заметил?

— Где?

— У Зуброва на шее.

— Нет. А что у него на шее?

— Шарфик шелковый.

— И что?

— А зачем ему шарфик?

— Так в Афгане весь спецназ в шелковых шарфиках ходил! С одной стороны — красиво, а с другой — мордой все время приходится крутить, как истребителю в бою. Так вот чтоб шеяка не натиралась, шарфиком ее обкладывают. И летчики-истребители всегда во время войны списанные парашюты на шарфики режут. Я одного дембеля знал — так он за хороший ковер трофейный...

— Знаем мы такие трофеи!

— Ну, грешен был человек. Ты дальше слушай. Он за этот ковер выменял у старшины парашют списанный, и давай шарфики резать да продавать. По пятерке за штуку брал. А потом от сапога подошву отодрал, вырезал штампик «Пьер Карден», и давай свои шарфики клеймить. Тут уж им цена — четвертной. За десяток шарфиков с клеймом еще один парашют у старшины выменял, новый совсем — и такое развернул дело! Каждый носит, да и домой шлет — вроде как трофей, с захваченного французского журналиста снятый. Сейчас тот дембель в Москве крупным бизнесом правит. Приглашал меня, как отслужу, к себе в телохранители...

— Я тебе, Салымон, не о том толкую! У Зуброва под шарфиком синяки просматриваются!

— Заткни, Аспид, свой огнемет! Быть того не может.

— Ну, давай спорить. На что?

— Знаешь, Аспид, вроде и вправду синяки у него на шее проглядывали. Как же это понимать?

— Эх ты, Салымон-разведчик! Мыслить надо логически. Если на шее синяки — значит, его кто-то ночью за горло взял!

— Другого объяснения, конечно, нет, это ты, Аспид, прав. Но не тот он человек, чтобы его каждый за глотку брал!

— Да уж, хотел бы я на эту сцену посмотреть. Я люблю, когда красиво дерутся. А тут уж — точно — был высший класс.

— Думаю, что тот хвататель до вечера в себя не придет — если, конечно, он вообще на этом свете.

— Кто ж это такой нашелся у нас? Это ж только по большой неосторожности можно было попробовать.

— Ума не приложу, Аспид. Даже жалко мне того хватателя. До самой смерти небось не забудет.

— Ну и Зуброву памятка на недельку останется. Шея — не сапоги: в пять минут лоск не наведешь!

Взяли Чирву-Козыря без труда. Погони он не ожидал. Расположился на дневной привал в степной лесопосадке. Три женщины с ним. Огонь развели. Выпили водки. Расслабился Чирва-Козырь, разомлел. Тут-то его Салымон за горло взял:

— Пошли, Чирва, девок твоих мы до станции подбросим, если захотят, а тебя командир ждет.

Аспид без оружия с девками в одной машине, а Салымон со связанным Чирвой-Козырем и с кучей оружия — в другой. Разделили так, чтоб девки по дороге Чирву не развязали да чтоб в пути оружием не воспользовались. Ревели девки, Аспида и Салымона упрашивали отпустить Чирву-Козыря, предлагали все, что душе захочется. Засомневался Аспид, но Салымон рыкнул да оружие отобрал. Так и едут — Аспид с девками впереди, Салымон с кучей оружия и со связанным Чирвой-Козырем — следом.

Ревут девки, и моторы ревут, грязь из-под колес фонтанами. Поотстал Салымон. Душит Салымона изнутри кто-то. Может, стыд, может, совесть, может, еще что-то, ранее Салымону неизвестное. Вздыхал, задницей по сиденью крутил, а потом возьми и попроси Чирву-Козыря:

— Эй, Чирва.

— Чего тебе?

— Чирва, будь человеком, спаси меня!

На Чирве аж веревки все заскрипели: он, Чирва, связанный валяется, мордой на ухабах о борт стучит, а его захватчик и возможный палач спасения просит. Дела.

— Так вот, Чирва, сгоряча я ляпнул Зуброву, что приказал тебе остаться... Не мог бы ты подтвердить, что так оно и было.

— Конечно нет.

— Слышь, Чирвончик, тебе ведь это ничего не стоит. Тебе все равно подыхать. Один грех больше, один меньше, какая разница, а мне репутацию спасать надо.

— Мне б твои заботы.

Тут Салымон Чирву не понял: лучше ведь сдохнуть, чем репутацию свою испоганить. А Чирва-Козырь Салымона понять не может: за обман его Зубров в рядовые разжалует, в штрафной батальон спишет, вот и все. Радовался бы, здоровенный болван. А Салымон успокоиться не может:

— Не хочется мне перед народом брехуном выглядеть. Лучше сдохнуть. Помоги мне, возьми грех на себя, а я к Зуброву сам пойду, за тебя просить буду. Ты Зуброва не знаешь — у него голова не такая, как у нас с тобой, он иногда такое учудить может... Знаешь, ведь он тебя, Чирва, и простить может. Он тебя может даже и наградить: все, мол, перепились, а Чирва-Козырь трезвость сохранял и — бубух тебе лычки новые на погоны.

— Нет, Салымончик. Поешь ты, конечно, красиво, но ради твоей репутации я лишнего греха на себя не возьму. Своя рубаха... сам знаешь.

Загонял Зубров батальон, замучал. Никого утром сам не будил. Гуляет себе вдоль эшелона: вдруг морда какая мятая с головной болью из окна высунется. А тут и Зубров:

— А ну-ка, голубочек, выгляни в окошко. Красавец. Эх, морду-то тебе как перекосило. А тепловоз-то у тебя весь грязью зарос. Да встань, мерзавец, ровно, когда с тобою командир говорит. Морда твоя уголовная. Из-за тебя что в батальоне случилось? Ты ж, гад, вчера всю смуту начал. Не помнишь, мозги орудийным нагаром законопатило? Уж я тебе их почищу. В общем, так. Три часа тебе времени, на весь твой тепловоз, вычистишь, в порядок приведешь, Салымону доложишь. Бойся ему не угодить! Боишься? То-то. Что? Людей надо на регулировку дизелей? Людей дам. Таких же мерзавцев и дам, вроде тебя. Как работу завершишь, найдешь меня и доложишь лучший способ, как я тебя могу покарать за твое вчерашнее. Да фантазию включи. Иди!

— Есть!

— Эй ты, ага, ты. Ко мне! Да строевым. Строевым! Вот так. Что ж ты, братец, ночью-то натворил? Теперь тебя даже Лефортовская тюрьма на исправление не примет. Кашу ты какую заварил. Не ты? А кто? А мои сведения все на тебя указывают. Ладно. Вымоешь котлы на кухне, Тарасычу доложишь, себя в порядок приведешь. Если Салымон на тебе одну пуговицу нечищеную найдет, сам знаешь.

— А, Тарасыч, иди сюда. А что, Тарасыч, у нас завтрак сегодня запаздывает? Что случилось? Голова болит? С чего бы это?

Знает Зубров, что сейчас к каждому индивидуальный подход нужен. Знает, что сейчас каждого немедленно после пробуждения надо брать в ежовы рукавички. И берет каждого. Знает Зубров, что нельзя сейчас дать времени на раздумья и праздные разговоры. И не даст. И уж вдоль эшелона забегали люди, заспешили. Всем машинам — мойка, чистка, технический осмотр. Оружию — полная разборка. Боеприпасы — пересчитать, вычистить, переложить. Вымыть вагоны. Окна выбитые заделать досками и мешками с песком — впереди кто знает, что ждет. Мертвым могилы вырыть надо. Раненых бинтовать. Знай себе Зубров покрикивает. Каждому — срок короткий, каждому — заданье непосильное, каждому приказ: придумать себе кару позатейливей.

Построил Зубров батальон перед закатом. Опять задождило, но блестит батальон, сияет. Только поменьше размером стал. Зубров на ящике патронном сидит. Рядом к телеграфному столбу Чирва-Козырь пристегнут. Салымон с антенной. Суд.

— Подсудимый Чирва-Козырь, приказывал ли вам гражданин Салымон остаться?

— Нет.

— Салымон?

Опустил Салымон глаза. Молчит.

— Так, мне все ясно. Сержант Салымон, вы приказа остаться не дали. Не имеет права офицер наказывать сержанта в присутствии солдат, но я использую чрезвычайные свои полномочия. Сержант Салымон! За потерю управления объявляю вам замечание!

— Есть замечание!

— Самое первое взыскание за всю службу?

— Самое первое, товарищ полковник!

— Вот так, чтоб не расслаблялся впредь. А теперь обратимся к Чирве-Козырю. Так, значит, Салымон не приказывал остаться?

— Не приказывал!!!

И увидел вдруг полковник Зубров наглость в глазах своего беглого водителя и в голосе ее же почувствовал. Но сдержал себя Зубров.

— То, что Салымон не приказывал остаться — это понятно. Но у тебя-то своя голова есть? Воровать золотые монеты ты сумел и без постороннего приказа. Был ты солдат, а стал ты вор... — тут Зубров не договорил, и только услышал команду Салымон, и выполнил ее, рубанув антенной Чирву-Козыря по хребту. И только тогда осознал он зубровскую команду: БЕЙ. Рванулся Чирва-Козырь под ударом вверх по столбу и обвалился вниз к основанию. Подивился в который уж раз Зубров силе Салымонова удара и обратился к батальону:

— Всех вас судить надо, но осудил я только одного: у него преступление с умыслом и подготовлено заранее. А вас, каждого, пусть совесть судит, если у кого она есть. Не сужу вас и потому, что первый виновник — я сам. Я повел вас на великое дело, на великие жертвы. Но меня обманули. Я повел вас страну спасать. Но не спасение родине мы везли, а мыло, да и то украли его еще до того, как мы контейнер получили. Судить меня надо. Требую судить меня. Требую самой страшной себе кары. Но прошу...

Тут Зубров снял с себя шлем, снял портупею с оружием, бросив рядом, сделал шаг вперед и опустился перед батальоном на колени, прямо в грязь:

— Но прошу месяц сроку. Планов своих вам открыть не могу. Прошу верить... Если через месяц не искуплю свой и ваш позор, то тогда и судите меня. Салымон любой ваш приговор исполнит.

Опустил Зубров голову непокрытую. Мелкий дождик ее сечет. Молчит батальон. Как-то и неловко. А что сказать-то?

— Верю! — вдруг заорал Аспид из задних рядов.

— Верю! — закричал Сабля. — Встань, командир.

— Верить командиру! — заорал младший сержант Швайко.

— Дать командиру месяц, дать ему два и три. Дать, сколько ему надо, — кричит матерый спецназина Раствор.

— Верим, — подхватил батальон. — Встань, командир.

— Спасибо, братья. — Встал Зубров. Салымон ему шлем подает, грязь рукавом счищает. И решил Салымон, что и батальону надо у командира прощения просить. Не знал Салымон за что, но знал, что надо. Развернулся, воздуха набрал да как рявкнет:

— Батальон! Шлемы — ДОЛОЙ! Слушай — НА КОЛЕНИ!

Глянул Зубров на обнаженные головы, на Салымона, на коленях стоящего, и сказал слова, о смысле которых всю ночь потом спорили в вагонах:

— С этого момента не будет над вами власти выше, чем моя.

Майор Федор Брусникин за свою жизнь видел много всяких телеграмм, радиограмм, шифрограмм. Чем выше становилось его мастерство радиста и шифровальщика, тем выше его поднимали, тем интереснее становилась его работа. А когда поднялся он на уровень правительственной связи, работа его стала совсем интересной. Читаешь газетки, радио слушаешь, смотришь вечерами информационную программу «Время», а поутру на работу идешь, расшифровываешь-зашифровываешь, и выходит, что в жизни настоящей все обстоит не совсем так, как в газетах пишут. Жутко интересно Феде на свете жить. Идет он по улице и знает, что прут ему навстречу миллионы слепых людей, а он, в числе очень немногих, — зрячий. Чудо — не служба. Начал понемногу разбираться, кто есть кто, кто с кем в каких отношениях. Расшифрует-зашифрует телеграмму-другую, и добавляется к его умственной картотеке. Так и горит душа однажды взять и написать книжонку обо всем слышанном. Ему и записывать даже те шифровки не надо: иногда такое попадается, что и хотел бы забыть, да не забудешь до конца жизни. Правда, тут одно обстоятельство ему мешало: для того чтоб книгу о советских неутешительных секретах написать, надо было прежде всего сбежать за рубеж. И не хотелось, и виделось иногда во снах: посылают его за рубеж шифровать правительственные секреты, а он возьми да и сорвись! То-то шуму будет на весь мир. Знал, конечно, Федя Брусникин, что никогда никуда не убежит и книгу не напишет, просто иногда тревожила его мысль такая. А возникала такая идея тем чаще, чем выше по служебным ступеням поднимался, чем большие тайны через его руки проходили. Разрывало Федю Брусникина противоречие: хотелось знать о состоянии дел в стране все больше и больше, а для этого приходилось молчать. Чем больше молчишь, тем больше тебе доверяют. Умеющих молчать в правительственной связи на вес золота ценят и того дороже. Чем больше молчишь, тем больше секретов знаешь, а чем больше знаешь, тем больше кричать хочется с крыши, с телеграфного столба и вообще откуда придется. Молчит Федя, хранит секреты государственные, и слова ему своего сказать не позволено. Вроде и работа не пыльная, но нервная, и участь на собачью смахивает: все понимаешь, а сказать не моги.

Но вот положил перед ним полковник Зубров радиограмму, которую майор Федор Брусникин никак принять не мог и обязан был возражать. Правило есть такое — нецензурные сообщения к передаче не принимаются. А Зубров принес именно такую. Положил ее Федор Брусникин перед собой и прочитал в который раз:

СОВЕРШЕННО СЕКРЕТНО
ПРАВИТЕЛЬСТВЕННАЯ СВЯЗЬ
КОМАНДУЮЩЕМУ ОДЕССКИМ ВОЕННЫМ
ОКРУГОМ ГЕНЕРАЛ-ПОЛКОВНИКУ ГУСЕВУ
генерал зпт еб вашу мать зпт не имею возможности на дуэли отрубить лопатой ваши уши тчк сожалею тчк начальник разведки одесского военного округа командир золотого батальона спецназа полковник зубров
ШИФР 413 КЛЮЧ 21
ШИФРОВАЛЬНЫЙ БЛОК «ИЗУМРУД»
ВТОРОЙ КАСКАД ЗАКРЫТИЯ — ЛИЧНЫЙ

Знает майор Федя Брусникин, что передавать шифровки подобного содержания не принято. Хотя, правда, ни одна инструкция об обрубании ушей ни словом не обмолвилась, а с другой стороны — радиохулиганство, хоть и зашифрованное. Опять же рано или поздно с генерал-полковником Гусевым судьба Федю сведет, а уж генерал-то Гусев вспомнит, кто такую радиограмму у Зуброва принял и в эфир передал. Глянул майор Брусникин на полковника Зуброва снизу-вверх, может, догадается текст смягчить, но глаза Зуброва слали ему простое совсем послание: «Федор, сокрушу!» Хотел майор Брусникин вопрос задать и уж облизнул губы, но вопроса не задал, а вставил ключ и застучал по клавишам шифровальной машины.

Стукнул майор Брусникин в командирскую дверь и вошел, не дожидаясь разрешения: правило такое — правительственную шифровку вручать адресату немедленно. Понял Зубров, что если Федя Брусникин входит, не дожидаясь разрешения, значит, правительственная. Первая за весь их путь. И уж догадался Зубров от кого: это, конечно, ответ на наглую его выходку. Что же мог ответить генерал-полковник Гусев? Принимает Зубров шифровку и пытается сообразить, как бы он сам ответил на месте Гусева, если бы его подчиненный обматерил. Глянул Зубров Феде в глаза, стараясь по ним предугадать содержание шифровки. И в глазах майора Федора Брусникина прочел Зубров ужас. Только ужас, и ничего больше. Расписался Зубров на корешке, оторвал от корешка запечатанный бланк, вскрыл его и прочитал:

СОВЕРШЕННО СЕКРЕТНО
ПРАВИТЕЛЬСТВЕННАЯ СВЯЗЬ
НАЧАЛЬНИКУ РАЗВЕДКИ ОДЕССКОГО
ВОЕННОГО ОКРУГА КОМАНДИРУ ЗОЛОТОГО
БАТАЛЬОНА СПЕЦНАЗА ПОЛКОВНИКУ ЗУБРОВУ
полковник зпт не попомни зла тчк я виноват тчк верь зпт не знал зпт на что тебя посылаю тчк проси зпт что хочешь зпт выполню тчк командующий одесским военным округом генерал-полковник гусев

ШИФР 342 КЛЮЧ 010
ШИФРОВАЛЬНЫЙ БЛОК «САПФИР»
ЗАКРЫТИЕ — В ПЕРВОМ КАСКАДЕ

Зубров поставил еще одну роспись в графе «Принял» и галочку в графе «Уничтожить немедленно» и вернул шифровку майору Брусникину. И не понял полковник Зубров величие момента. Но именно в этот момент, принимая шифровку из рук Зуброва, майор правительственной связи Федор Брусникин принял окончательное решение написать однажды книгу обо всем, что ему пришлось увидеть и услышать на своем веку. Он решил написать книгу любой ценой, даже если его за такую книгу расстреляют. Он решил, что прологом будет матерная шифровка Зуброва своему боссу. Так книга и начнется — нецензурным словом, именно так, как Зубров изволил начать послание своему начальнику.

Всю ночь не спал Брусникин. Метался по рубке связи, как настоящий писатель, которому идея не позволяет спать. Как жаль, что только он да Зубров знают о содержании. Как жаль, что не имеет права Федя Брусникин выйти перед батальоном и сказать: братцы, а ведь не зря люди болтают, что наш Зубров имеет сверхъестественную возможность оказывать влияние на человеческую психику! Даже на расстоянии! Кроет начальника матом — а начальник у него же и прощения просит! Эх, Феде бы Брусникину такую феноменальную способность! Ах, нельзя! Нельзя майору правительственной связи рассказывать окружающим о своих открытиях! Нельзя! И чем сильнее запрет, тем интереснее потом будет его книга, в которой выложит он все шифровки, уничтоженные немедленно после прочтения их адресатами, но удержанные навсегда Фединой памятью. Уж под утро решил Федя, что если еще раз принесет Зубров матерную шифровку на передачу, то уж он-то, Федя, носом крутить не будет, но примет ее без пререканий.

С этим Фёдор Брусникин и уснул. Он не знал и знать не мог, что однажды действительно напишет книгу и за нее не получит высшего приговора.

«Говорит Радио «Свобода». Передаем сообщения. Девица Груша предсказывает судьбу и предлагает средства от роковой любви за умеренное вознаграждение. Телефон 07-0482-2608-82, телефакс... чеки присылать по адресу... тех, кто не имеет твердой валюты, просят не беспокоиться...»

Федя Брусникин озадаченно захлопал глазами. Это было что-то новое в репертуаре станции «Свобода». В последние годы она стала малопопулярна. Ее передачи, даром что из Мюнхена, все больше смахивали на статьи из газеты «Правда». С той только разницей, что в них и селедку нельзя было завернуть. Оттуда взывали проявить терпение, не требовать слишком много, часто упоминали Горбачева и его успехи на Западе... Но — девица Груша?!

Тут только Федя заметил, что и частота для «Свободы» необычная. Он заподозрил подвох, но оторваться уже не мог. Прослушал романсы ансамбля «Ромэн», исполненные с большим чувством. Принял ко вниманию объявления о продаже в оптовых количествах синьки, перца и модных галстуков. И, только услышав, что за коней, не сданных на ночь в гараж, цыгане ответственности не несут, понял, в чем дело. Это были радиопередачи независимого цыганского табора, кочующего по территории Молдавии, но желающего расширить сферу своей известности. Естественно, они выбрали себе для выхода в эфир название «Свобода». Откуда им было знать про тезок из города Мюнхена? Да если б и знали — вряд ли сочли бы этих тезок за серьезных конкурентов. Те ни в лошадях не разбирались, ни судьбу предсказать не могли — даже тем, кто был при валюте, не говоря уж о прочих смертных.

Глава 17

СОБЫТИЯ РАЗВИВАЮТСЯ

На столе Валентины Бирюковой лежали две телеграммы, с которыми уже третьи сутки бились лучшие шифровальщики КГБ. Два каскада шифровки разобрали довольно быстро. Однако в этом случае радиосвязь полковника Зуброва и генерал-полковника Гусева выглядела более чем странно.

Зубров везет в Москву этот клятый таинственный груз. По приказу Гусева. И поначалу, как и положено этим воякам, готов доставить ценой жизни — и своей, и чьей угодно еще. Что же вызвало сейчас столь сильное его неудовольствие? И за что извиняется генерал? Или это все же камуфляж, и тогда в третьем каскаде шифровки — военный заговор с целью свержения государственного строя? Ну же, Валя, шпорь свою интуицию! Но интуиция сегодня, как назло, молчала. Вместо того болела поясница, как всегда в такие дни.

В дверь постучали, и в кабинет вошел шифровальщик.

— Докладывай.

— Товарищ полковник. Третьего каскада шифровки не обнаружено. Текст радиограммы окончательный.

— Идите.

Раз нет достаточной информации для окончательных выводов, то дело надо отложить. Вместо этого она в который раз достала из сейфа кассету с записью, где Вилли, перепуганный, кололся, а Лань допрашивала. Вставила в видеомагнитофон. Снова ожил экран, снова задергался Вилли, снова презрительная улыбка Лани промелькнула... Как все же теряет свое достоинство мужчина, если на нем нет штанов! Женщина, как знала Валя по богатому опыту работы, — наоборот, распрямляется. Ей, мол, уже нечего терять, она смотрит гордо, может и в рожу плюнуть. А мужчину — нет лучше способа сломать. Вилли явно не врал на этом допросе. Мыло там в контейнере, мыло!

Стоп. Мозаика сложилась.

Никакого секретного груза нет. Есть только мыло. Да еще наша привычка всегда ожидать от американцев чего-нибудь такого опасного. Значит, так: Зубров уже в дороге каким-то образом узнал, что именно ему поручено доставить в Москву. За такое спецзадание кто угодно озвереет. Он шлет матом генерала, тот к тому времени и сам выяснил, что к чему. Натурально, материть Политбюро он не решается, а перед полковником извиняется. И есть за что, и как бы непочтение к властям косвенно поддерживает. Все, оказывается, совсем просто!

Но господи, что же ей теперь делать? Доложить Мудракову немедленно, какого он дурака свалял? А с чьей подачи — естественный вопрос? Ведь это на основании ее доклада Мудраков заварил всю эту кашу! Он теперь ей не только ее ошибок не простит, но — тем более — своих!

Не доложить? Что тогда будет, батюшки мои? Соберется Политбюро, обнаружит в контейнере мыло... Плевать на Мудракова, он и сам не снесет головы. Стоп, Валя, а в том ли дело, что мыло обнаружится? Оно все равно сыграло свою роль — и именно в качестве секретного оружия. Пока они с Мудраковым вели подкоп под Алихана — все Политбюро успело перепугаться. Алихан рвался к власти? Так и все к ней рвутся и боятся, что груз попадет в руки КГБ, и потому...

И потому будет государственный переворот. Да, да, у них нет другого выхода. Рано или поздно они бы пришли к решению ликвидировать КГБ, свалить все на него и в очередной раз посулить стране новую жизнь. Вот такое время и приспело, дольше им ждать нельзя. Они этот переворот организуют еще до того, как

вскроют контейнер. Да ведь и президент за рубежом...
Тут и интуиции не нужно! Сказать Мудракову? Так
ведь выслушает ли ее, виноватую? И можно ли еще
успеть?

Валю прошибло потом. Она сложила документы в
сейф, накинула кожаную куртку. Отпустила секретаря:
сколько можно парня держать без сна? Рабочий день
уже окончен, в конце концов! Она имеет право подумать... Машина подвезла ее к старому Арбату. Тут она и
машину отпустила. Ей хотелось побыть одной.

С детства у нее не было советчиков в трудных ситу-
ациях. И друзей никого не было. Все в своей жизни она
решала одна, ни с кем не обсуждая. Но эти знакомые с
юности старые закоулки любила. Самые лучшие мысли
ей приходили здесь. Просто шла по улице, сворачивая,
где вздумается.

Вот маленький парк: удивительно, что его еще не
снесли! Сколько лет она здесь не была? Тут было ее первое свидание. Как она, дурочка, тогда волновалась! Как
мечтала вместо задрипанного пальтишка, со старшей
сестры перешитого, появиться в настоящей кожаной
куртке — как комсомолка тех легендарных двадцатых! А
вот и лавочка та самая. Все перестроили, а она еще стоит. С теми же завитушками, какие тогда были в моде.
Парнишка, что тогда ее целовал, наверное, женат давно,
детей нарожал... А она, Валя...

Тут у нее что-то взорвалось в затылке, а потом стало темно.

— Снимай с нее куртку скорей! Да не порви, олух!

— Гля, Петька, у ней пушка настоящая! Видать, из начальства сучка! Может, добьем?

— Сама сдохнет. Рвать надо когти скорей. Может, у
нее подстава. Шузы еще с нее сдерни, и валим.

Двери открылись, и в кабинет вошел широкоплечий
молодой человек в светло-сером костюме.

— Товарищ генерал, майор Авилов по вашему приказанию прибыл.

— Присаживайся, майор, — сказал Мудраков, не вставая из-за стола. — Ты, майор, раньше занимался эвакуацией из-за границы проштрафившихся дипломатов?

— Так точно, товарищ генерал.

— Спецподготовку в институте токсикологии проходил?

— Так точно.

— А потом в оперативный отдел тебя перевели. Как, работой доволен?

— Так точно, товарищ генерал.

— Да что ты все заладил: так точно да так точно! А я вот тебе новую работу предложить хочу. Благо очному знакомству с тобой предшествовало заочное. Персональный референт мне нужен, Коля. Должность эта полковничья. Отчитываться только передо мной. А с предыдущим референтом Валей Бирюковой несчастье случилось. Бандиты на улице напали — что самое нелепое, и вправду случайно. На одежду позарились. Ну, дали по голове. Она теперь в клинике Склифосовского. Врачи, конечно, обнадеживают. Однако состояние тяжелое: бредит. А ты сам понимаешь, для нашего сотрудника бред — действительно состояние опасное. Жаль. Очаровательная женщина была. Но, боюсь, не выживет. А работу делать кому-то надо... Как ты, Коля, а?

— Я, товарищ генерал, всегда...

— Ну-ну, ты не юный пионер. Теперь у тебя начальства никакого нет, кроме меня. Рад?

— Рад, товарищ генерал. Вот уж не думал...

— Теперь думать придется. И знаешь что? Пока ты еще в должность не вступил — сходи-ка навести предшественницу. Может, она и без сознания — а ты ей все-таки цветочки принеси. Как-никак, знак внимания.

Они посмотрели друг другу прямо в глаза.

— Будет исполнено, товарищ генерал.

— Можешь идти, подполковник. Завтра примешь все дела.

Валентина Бирюкова скончалась в больнице тем же вечером, не приходя в сознание.

Справа по ходу поезда, сколько хватало глаз, была вода и вода: Волгоградское водохранилище. Солнце уже встало, подымая туман от воды. Драч зевнул и глянул на часы. Через пять минут кончится его смена, и пойдет он в теплое купе, приголубит Любку. А потом уж поест от души: Любка, небось, уже лучок нарезала, сало розовое напластала. А там и остановимся, и еще разок позавтракаем. А там опять длинный перегон, можно будет отоспаться.

Сны Драчу почему-то всегда снились невоенные — те, конечно, что ему случалось запомнить. Особенно он любил возвращаться в один, где был хуторок с вишнями и грушами, пара справных коней, которых он поил из речушки, и женский голос его звал из окна...

— Батальон! Говорит Первый.

Драч очнулся. Дымка за окном, показалось ему, пожелтела.

— Майор Брусникин и капитан Драч — ко мне.

Идя к командирской рубке, Драч почувствовал, как поезд набирает скорость.

Зубров уже ждал очень спокойный. Но время на обычные шуточки терять в этот раз не стал.

— Мы за ночь мимо двух деревень проехали, не считая мелких домиков. Я в инфракрасный прицел смотрел. Ни огонька, ни дыма из трубы, никакого шевеления. Оно, конечно, ночью так бывает. Но мне все же неладное показалось. А третью деревню проезжали полчаса назад, считайте, утро уже. И в ней та же картина, только у одной избы собака у будки на цепи лежит, лапами кверху. Я в центр запрос послал. Так они, суки, ответили, что будут выяснять и часа через четыре выйдут на связь. Что скажете, господа офицеры?

— А что тут скажешь, командир, — заговорил Драч. — Поворачивать обратно уже поздно. Бог даст, пронесет. Неужели не проскочим на полной скорости?

— И я того же мнения, — добавил Брусникин.

Зубров взялся за микрофон селекторной связи:

— Батальон! Говорит Первый. Химическая тревога. Радиационная партия — в головной вагон. Доклады о радиационной и химической обстановке каждые двадцать минут. Личному составу находиться в противогазах. Дверей и окон не открывать. Воды для питья, приготовления пищи и в гигиенических целях не использовать до особого распоряжения. Приготовленную пищу — за борт!

Затем он повернулся к Драчу:

— Ты, Иван, Россом займись: в противогаз его и ко мне в рубку! Мне с командного пункта сходить нельзя.

— Есть.

Драч, разумеется, понял этот приказ расширительно: присмотреть и за Оксаной. Через несколько минут Поль с Оксаной, как голубяточки, сидели в рубке и легкомысленно потешались друг над другом. Девчонка так и не поняла, в чем дело (Драч сказал ей, что тревога учебная). А Поль так старательно изображал Оксане жестами слона, притопывал и размахивал ушами, что не разобрать было — понимает он опасность или нет. Во всяком случае, Драч был уверен, что девчонка рядом с Полем в панику не впадет.

Любка осталась в купе, но Драч успел туда смотаться и лично напялить на нее противогаз. За спецназом приглядывать было не нужно. За Зинку тоже можно было не волноваться: на то есть Салымон. Противогазов лишних хватало: поредел личный состав... Оставалось ждать.

Поезд шел как в оцепененье. Только гром колес нарушал **тишину**. Вдруг ожил громкоговоритель.

— От радиационного поста циркулярный. Отклонений в радиационной и химической обстановке не обнаружено. Радиационная партия. Прием.

Зуброву показалось, что он услышал вздох облегчения. Он даже оглянулся, но на командном пункте никого, кроме него, не было. Из-за поворота, километрах в четырех по ходу, показалась железнодорожная станция. Зубров снова — к микрофону:

— Говорит Первый. Сбавить ход. Радиационной партии у станции — внеочередной доклад.

Воздух был прозрачен, как бывает только ранним утром. Картина Левитана — и только. Тишина, спокойствие. Поезд со скоростью пешехода подходил к станции. Вот уже и без бинокля можно было видеть, что весь перрон заставлен кошелками и мешками. Между ними где лежали, где сидели люди — давно, видно. По лохмотьям только было и разобрать, кто мужик, кто баба. А вот и ребятенок лежит, и в том, что осталось от ручонки его — леденец недососанный. И вороны дохлые тут же вокруг валяются.

— Отклонений в радиационной и химической обстановке не обнаружено, — доложил громкоговоритель.

— Господи, да чем же их так? — прошептал Зубров, забыв, что у самых губ — микрофон селекторной связи.

У конца перрона на рельсах лежал еще один труп, а на веревке, метрах в двух от него задрал в небо бороду серый козел. Поезд, не меняя скорости, переехал тело.

— Говорит Первый. Полный вперед.

Так и шел поезд сквозь мертвую зону, не ведая, отравлен ли он уже весь неведомо чем или нет. Чем противогаз хорош помимо основного своего назначения — это что лица твоего никто не видит.

Через час громкоговоритель к очередному докладу об отсутствии отклонений добавил, что по ходу поезда имеет место станция, на которой — живые люди.

Зубров все это время не отрывался от перископа. Хобот противогаза мешал, и хотелось сплюнуть.

— Говорит Первый. Остановка у станции.

У ближнего края платформы горбоносый мужик наливал из крана большой бочки в стакан прозрачную жидкость. Зубров сорвал противогаз и отдал команду:

— Отбой химической тревоги!

Эшелон остановился, все загалдели с оживлением. Через минуту Зубров слушал приведенного Драчом со станции мужика.

— Зона та с покойниками, что вы проехали, — неопасная теперь. Страшно — это да. Натерпелись, небось? Там лаборатория была или институт — шут их разберет. Охранялся — не подступись. Ну, наши мужики и решили, что что-то ценное, раз охраняют. Времена сейчас, сам знаешь какие, начальник: ничего не укупишь. Они и сунулись, охрану перебили. Все обшарили — а там никакого добра, кроме спирта, и не было. Ну, еще машины, что рядом стояли, поугоняли конечно. Ну, с обиды и подожгли здание — чтобы, значит, в соблазн не вводило. Оно себе погорело-погорело, да и ахнуло. Облако от этого взрыва пошло, а где прошло — все померли.

Наши мужики одного очкарика прихватили случайно, он со страху в машину забился, в багажник. Так он говорит — они там химию секретную делали. В оборонных целях. Чтобы все живое, значит, убивала, а через два часа чтоб безопасной уже была и продукты не портила.

Так мы теперь туда на дрезине ездим, за свеклой да картошкой. Еще там бахча есть, в километре от путей. Так что, значит, этого места ты, начальник, не бойся, ты других мест бойся.

— Спасибо тебе, дядька за информацию. — Зубров передал мужику пакет махорки. — А чего по ходу на север творится — ты ненароком не знаешь?

— Там, начальник, аж до самой Сызрани чисто все. Шалить шалят, это верно, однако без отравы. Только в одном месте, километров за двести отсюда, «зеленые толстовцы» погуляли. Они против техники сильно были и рельсы поснимали: идеи, вишь, у них. Этак километра два успели разобрать. Но они оттуда уже ушли, как все продукты из магазинов выжрали.

Так оно и было. Километры пути впереди эшелона уничтожены. Любители окружающей среды постарались на славу. Путь разобран полностью, рельсы сброшены с насыпи в болото, железобетонные шпалы — туда же. Хорошо, хоть мост уцелел. В одном месте стоит состав на насыпи, а рельсы перебиты взрывами прямо под вагонами и под локомотивом, а дальше снова разобран путь.

— Что делать будем?

— Поврежденный эшелон взрывами сбросить с пути и перебитые рельсы убрать. Затем настелить новое полотно.

— Сколько это займет времени?

— Учитывая полное отсутствие техники, транспорта, подъездных путей, недостаток инструмента, особое неудобство участка строительства — полтора месяца при полном напряжении...

— Другие предложения?

— Новую дорогу не строить. Снимать рельсы и шпалы позади себя, перетаскивать их вперед (на БМД), укладывать, продвигать поезд немного вперед и снова снимать рельсы позади.

— Сколько времени?

— Месяц.

— Какие еще предложения?

— Выслать далеко вперед патрули для охраны полотна. Устраивать засады, лупить зеленых, красных и бежевых — кто там рельсы разбирает. Беспощадно, цветов не различая. Вздернуть двух-трех с объяснением причин — глядишь, остальные и поутихнут.

— Хорошо. Принимается.

Измотался батальон вконец. Поизносился, поистрепался. Ударила непогода. Ночами подмораживало. Выезжали из Одессы — вроде жарко было, а тут ночами и снежок перепадает, а днями — дожди леденящие, ветер. Туго с продуктами. Рабочие смены по пятнадцать часов. Ночные патрули — и снова тягать и укладывать рельсы и шпалы. Пообтесало народ. Челюсти повыступали, тельняшки рваные пообвисли. И Зубров вкалывает со всеми. По окрестностям гоняет на газике, зеленых ловит да вешает, рельсы на БМД грузит да разгружает. Машины тоже поизносились: они для ремонтных работ никак не предназначались.

Иногда куски целого пути попадались, пройдет их эшелон и вновь — поврежденные участки, и зеленые на пожелтевших деревьях раскачиваются.

Прошли все это. Потеряли три недели.

Второй секретарь ЦК КПСС Боков в этот день охотился с министром обороны Мазовым. Не на лис каких-нибудь там, а на крупную дичь.

— А как ты думаешь, товарищ Мазов, кто же у нас в президенты выбьется? Пока этот там по заграницам порхает?

— Да кто бы ни был, товарищ Боков, лишь бы не Мудраков. Борзеет больно.

— А не пора ли?

— Давно пора.

— Момент подходящий скоро будет, тебе не кажется? Да и последний. Как придет контейнер — так можем и не успеть.

— А нужно ли, товарищ Боков, нам дожидаться, пока он сюда придет?

— А как ты это себе иначе мыслишь?

— Можно бы попробовать по дороге перенять...

— Берешься?

— Берусь.

— А если не удастся? Всяко ведь бывает...

— Тогда перехватим на Красной Пресне, официально уже. А с Мудраковым на месте разберемся.

— Хорошо. Тогда Мудракова ты бери на себя, а я прессу организую. Уверен, что оставшиеся товарищи нас поддержат.

Мазов улыбнулся и шарахнул дуплетом в зазевавшуюся сороку.

Глава 18

РЕСПУБЛИКА З/К

Ранним холодным утром эшелон подходил к Потьме. Через лобовое стекло локомотива Зубров увидел странный щит: череп и скрещенные игральные карты. На картах были король и краля, изображенные с большой любовью к обнаженной натуре. Далее была не менее странная надпись: «Республика з/к. Заезжай, фрайер, прокатим на вороных!»

Еще через километр их ожидал второй щит: «Путя разобраны. Тормози у станции». Метров через пятьсот стоял его близнец. Машинист стал сбавлять ход.

Зубров выматерился, затем, взявши микрофон переговорного устройства, рявкнул:

— Батальон, в боевую готовность!

— Есть, товарищ полковник!

— Капитана Драча ко мне!

— Есть!

Зубров вернулся в командирский вагон. Драч уже ждал его у двери. По крыше гремели сапогами занимающие свои боевые посты солдаты.

— Привет, Драч.

— Здравия желаю, товарищ полковник.

214 В. Суворов, И. Ратушинская, И. Геращенко и другие

— Заходи.

Зубров отпер дверь купе.

— Похоже, что впереди рельсы сняты. Возьми с собой, капитан, взвод солдат и дуй на разведку. Радиосвязь непрерывная. Если что, поддержим.

· — Есть, товарищ полковник.

— Выполняй.

Поезд остановился у станции. На перроне стояли человек двадцать в офицерских шинелях без погон. У троих через плечо висели автоматы Калашникова. Рожи были такие, что видавший виды Драч крякнул. Задание обещало быть интересным.

— Здорово, ребята! — крикнул встречающим Драч.

— Здорово, коли не шутишь, — ответил ему выступивший вперед хлопец с исключительно наглыми глазами.

Драч спрыгнул на платформу. Первым делом достал черкасские сигареты:

— Закурим, хлопцы.

Толпа неспешно обступила его. Взвод, повинуясь движению брови капитана, не спешил выскакивать из дверей. Пачка сигарет опустела мгновенно и совершенно незаметно. То же произошло и со второй.

— Нам бы проехать надо.

— Это можно, да вот только рельсы кто-то поснимал.

— Так мы их назад поставим.

— А вот этого никак нельзя. У нас тут республика, и по закону на общественной земле могут работать только те, у кого гражданство имеется.

— И много у вас тут общественной земли?

— Обижаешь, начальник. Мы, не сицилисты какие-нибудь. У нас все частное, вот только сто метров путей общественные.

— Что ж делать будем?

— Не тушуйся. Пойдем к пахану по таможне, там и договоришься.

Охрану свою лучше тут оставь, вокруг люди нервные. Откусят голову, и отскочить не успеешь.

Драч мотнул головой солдатикам, что означало приказ оставаться на месте, прихватил загодя заготовленный пакет с махоркой и улыбнулся гиду:

— Айда!

Его привели в станционное здание, к двери с табличкой: «Канцелярия иностранных дел». Тут его быстро обслужили. Он получил на рукав белое вафельное полотенце с вышитым на нем гербом республики за пятнадцать пачек махорки. Еще за пять пачек любопытный Драч нанял экскурсовода. Конечно же им оказался тот самый парень, что объяснял ему республиканские рамки общественной собственности. Оказалось, что пахан по таможне сейчас занят. Но что Драч, как иностранец, получивший охранный документ (то самое вафельное полотенце) может беспрепятственно передвигаться по всей республике, а стало быть — может обождать в трактире, и никто на него хвост не поднимет.

Гид его назывался Носатый. Он был молод, нахален и весел. В трактире им подали вареную картошку, соленые грузди и по сто грамм самогона.

— Слушай, парень, — заговорил Драч после стопки, — может, все-таки можно найти этого пахана пораньше? Чтоб без бюрократии, а?

— Нет у нас бюрократии, мужик! У нас республика молодая, общество здоровое. Ну, клопы бывают, ну, сифилис — но чтобы что-то опасное — ни-ни! Ты думаешь, мы темним, что пахан занят? Ну, хочешь — пошли посмотрим. У нас сегодня судный день, а он присяжный, секешь? Как отсудит — так мы к нему подкатимся.

По ответвлению железнодорожного полотна они пошли в сторону большого деревянного дома. Мимо них прошли двое мужчин, лица которых были закрыты серой тканью с узкими прорезями для глаз.

— Это еще что, Носатый? Террористы местные или как?

— Не, это петухи. Тут у нас узбекский вор живет. Так у него таких целый гарем, и все в чадре ходят.

— Что ж, он женщин не может найти?

— Баба у нас — зверь свободный. С этим строго. К кому хочет, к тому и пойдет. То ли они к нему не хотят, то ли он не хочет... Пятнадцать лет оттрубил, привык к мальчикам! А что они в чадре — так у восточного человека свобода совести.

— А у них?

— У петухов-то? Какая у них совесть, ты что, с печки упал?

Суд проходил на бывшей станции Потьма-2, в зале ожидания. Как объяснил Носатый, любой суд был открытый, и присутствовать могли все желающие. Еще подходя к дому, они услышали дружный хохот пары сотен глоток.

В большой комнате у стены на расставленных полукругом креслах восседали двенадцать человек. С первого взгляда Драч понял, что это яркие личности. Им не нужно было погон на шинелях. В центре полукруга сидел еще один, в серебристой каракулевой ушанке, с волчьими глазами.

— Это присяжные, а тот, что посередке, — судья, — шепнул Носатый.

У боковой стенки на стуле сидел худой, обритый, но непохожий на зэка тип. Что в нем было не так — Драч, однако, уловить не мог. По обе стороны от него стояли два мордоворота с топорами за поясом. По знаку волчьеглазого они поднесли к лицу подсудимого два зеркала, имитируя трельяж. Хохот возобновился. Сидящая на полу орава со стоном полегла друг на друга.

Тут только Драч догадался, что татуировка на лице подсудимого складывается в слова лишь в зеркальном отражении. «РАБ КПСС», — прочел он в одном зеркале.

«ЛЕНИН ЛЮДОЕД» — в другом. Судья в каракулевой ушанке поднял руку. Все затихли.

— Больше десятка свидетелей показывают, что этот козел с наколками на морде — полковник КГБ Новиков. Сомневается ли кто в этом?

Молчание.

— Считаю личность установленной. Переходим к делу. Кто против него что имеет?

В зале поднялась добрая дюжина рук. Судья указал глазами, и вперед вышел сгорбленный старик.

— Божись! — приказал судья.

— Гадом буду, землю жрать буду, век воли не видать! И старик начал...

Наговорили о Новикове много. Последней вышла девка лет двадцати пяти с соломенными волосами.

— Я на Молочнице сидела, на четырнадцатой зоне. Потом меня на доследование повезли, а в этапе мне конвой ляльку заделал. Ну, меня тогда на вторую зону кинули, где мамки с детьми. А туда политичек тогда наладили, в ПКТ. А меня — в соседнюю камеру на пять месяцев, вроде я джинсовый костюм сперла. А я только брюки сперла, а не весь костюм. У нас тогда джинсовый пошив был, а дежурнячки за чай ту джинсу у нас торговали. Как тут не пойдешь не сопрешь?

— Лолита! — строго сказал судья. — Ты нам за советскую власть не рассказывай. Имеешь что сказать на Новикова — так не тяни кота за хвост. Две минуты тебе даю на все свидетельство.

— Так этот змей Новиков меня в оперчасть вызвал: я с политическими через стенку разговаривала. И давай уламывать, чтоб я стучала. Я ни в какую. Он тогда стал грозить, что меня в ШИЗО, а доченьку мою, ей тогда годик был, — в дизентерийную палату переведут. Тогда в ДМР, где младенчиков держали, дизентерия была. В ШИЗО меня на другой день закатали, будто начальству противоречила. А доченьку мою...

Тут Лолита разревелась, и дальше ничего было не разобрать. Зал глухо зарычал. По всему было видно, что убитые мужики — это одно, а годовалый младенчик — совсем другое, и судить за это будут разно.

— И последнее слово подсудимого! — рявкнул судья.

Новиков грохнулся на колени и запричитал:

— Я же подневольно, я же все по приказу. Я всегда был против этой власти! Я на политических представления к освобождению оформлял! В архивах есть! Я человек молодой, исправлюсь. Я вам, господа паханы, полезным буду. Знаю я много. Помилуйте!

Новикова, как мешок, подняли и посадили обратно на стул. Судья встал.

— Присяжные, дуйте на совещание. Перекур, братва.

Носатый, протолкавшись через толпу выходящих, провел Драча к судье.

— Я тут с поездом. Без тебя нам рельсы не наводят.

— Чем ты, мужик, платить можешь?

— Табачком.

— Это дело. Пять ящиков махорки — и завтра едешь.

— А если сегодня?

— А патронов у тебя часом нет?

— Смотря каких.

Они договорились за пару минут. Носатый получил приказ все устроить. Драч уже направился было к выходу, но тут вернулись присяжные, и Драч решил досмотреть.

Сомнений в виновности подполковника КГБ Новикова у присяжных не было. Проголосовали единогласно. Судья встал и произнес одно слово:

— Катапульта.

Подсудимый, казалось, понял это так же мало, как и Драч, но на всякий случай взвыл.

В двойное командирское купе вошел Драч с рогожным мешком на плечах. Повеяло запахом свежеиспеченного хлеба.

— Здравия желаю, товарищ полковник! Извиняюсь, что честь не отдаю: мешок тяжелый.

— Прибарахлился, капитан. Тронемся ли — не спрашиваю. На тебе написано. Ишь, глаза горят, дым из ушей. А когда тронемся?

— Через час, товарищ полковник!

— Ладно, Иван, давай без чинов. Расскажи, куда это нас занесло. С эшелона ни чёрта понять нельзя.

— У меня, Зубров, доклад сложный. Без поллитра не разберешься. Товарищ Росс нам за третьего будет. Меня, понимаешь, впечатления распирают, а тут еще мешок от гостинцев трещит.

Драч выложил на стол буханку еще теплого хлеба, пучок зеленого чеснока, завернутый в тряпочку кусок сала и бутылку самогона. Разливать он предоставил Полю:

— Практикуйся, марсианин! Чтобы в каждом стакане — по одинаковому количеству булей было!

— Что такое есть «буль»? — поинтересовался Поль. Ему очень не хотелось оплошать.

— Это такое слово. Его бутылка говорит, когда из нее наливают. Вот слушай!

Драч опрокинул бутылку над стаканом.

— Буль-буль-буль... Понял, салага? А теперь в другой стакан — столько же!

— Понял! — просиял Поль и взялся за дело. Он хотел было спросить по привычке, как это слово пишется, но вовремя сообразил, что бутылки, скорее всего, писать не умеют.

Драч тем временем докладывал:

— На наше счастье, туземцы республики з/к, на территории которой мы сейчас находимся, еще не полностью наладили хозяйство. Им курить нечего — аж уши пухнут. Табак в Мордовии не растят, понимаешь. Я все это добро на десять пачек махорки выменял.

Драч распластал сало на тонкие розовые ломтики.

— Ты, Поль, хоть и мусульманин теперь, а сало бери. Зэковская свинья — не свинья, а недоразумение. Никаким законом не предусмотрена. А тост твой, Зубров.

— За великого дипломата капитана Драча!

Поль сглотнул содержимое стакана так же непринужденно, как Зубров с Драчом, выдохнул и заявил:

— Хорошо пошла, как сплетни по селу!

Драч от восторга всплеснул руками.

— Ты смотри, Зубров, как человек заговорил! Вот что значит свежий воздух и здоровая боевая обстановка!

Поль раскланялся, как на аплодисменты, и спросил:

— Что ты видел, капитан?

— У них тут что-то вроде феодальной республики. Сплошные лагеря раньше были. Так вот, они с полгода назад взбунтовались — все в одно время. Снюхались заранее, и в один час охрану перерезали. Кто захотел — по домам разбежался. А большинству ехать некуда, так они тут осели.

Я у них на базаре был. Картошку продают, грибы сушеные. Водку из березового сока гнать наловчились. В теплицах индийскую коноплю развели. Все в шинелях ходят и в джинсах — что мужики, что бабы. У них тут лагеря эту продукцию выпускали — вот все и нарядились со складов.

Мне повязку белую продали, сказали, нужна обязательно. Это у них охранной портянкой называется. Вроде как въездная виза. За пропуск поезда они дань берут, оттого я три часа и промаялся. Главный ихний по этому делу в суде присяжных заседал. Я поначалу в обход сунулся с махоркой, а они мне говорят:

— Нельзя, коррупция получается!

Пришлось ждать, пока суд кончится.

— Суд присяжных — это хорошо. Гуманно, — убежденно выговорил Поль не очень послушным языком.

— Куда уж гуманнее! При мне как раз одного кагебешника судили, я полюбовался. Он с самого начала бунта в каком-то бункере отсиживался, пока жратва не кончилась. А потом вылез, маскируясь под политзэка — мол, пострадавший от коммунистов. Татуировки себе на рожу наколол подрывного содержания. Да только колол сдуру, не рассчитал. И вышли они у него в зеркальном отображении. На том и поймали. Смеялись все долго. А потом как свидетели начали рассказывать, что он вытворял, — у меня остатки волос дыбом встали. Не приведи ж Господи теперь сны видеть! Его к высшей мере приговорили, к катапульте.

— Что это за катапульта такая? — поинтересовался Зубров.

— Докладываю. У них тут лагеря были не только колючей проволокой, но и спиралями Бруно огорожены. Путанка, по-ихнему, называется. Через нее не перелезть было: это вроде пилочка для лобзика, только тоньше и в объемные спирали закручена. Как попал — так не выпутаешься.

Так вот они эту путанку из окрестных мест в один клубок сволокли. Метров двадцать в высоту да метров сто в диаметре. А рядом между двух березок катапульту наладили: как для запуска планера. Из этой катапульты кагебешника в путанку и запустили. Он метров сто пролетел — и в самую середину клубка. Целенький упал, живехонький. Вот только из этого клубка ему уже не выпутаться. Я видел: там другие висели, кого раньше запустили. Лучше б не видать. Что, Поль, молчишь? Гуманизм и справедливость — это, браток, вещи разные...

Неизвестно, как закончил бы Драч свое рассуждение. Его прервал зычный бас со станции:

— Эй, на поезде, путя собраны! Выходи, кто хочет, на прощальную молитву!

Несколько озадаченные Зубров, Драч и Поль пошли по вагонам к тепловозу. Рельсы были уже на месте. Поперек полотна была натянута розовая лента. По обе стороны дороги стояли провожающие: в шинелях, с автоматами, без шапок. Рожи у всех были чинные. На кузов стоявшего у обочины грузовика взобрался здоровенный мужик в мешковине. Могучим голосом, нараспев, он затянул:

— Покарай, Господи, большевиков, коммунистов, комиссаров, стукачей, ментов и фраеров, им сочувствующих. Перевешай, Господи, и покарай, в бесконечном Твоем милосердии!

Под это напутствие поезд тронулся. Все молчали. Только неугомонный Поль потребовал немедленного объяснения слова «фраер».

Новость распространилась по посольству со скоростью степного пожара. И все-таки Вилли, как ни торопился к своей установке, успел захватить только самый конец заявления ТАСС:

«...четыре транспортных самолета израильских военно-воздушных сил вероломно вторглись в советское воздушное пространство и, незаконно приземлившись в районе Жмеринки, похитили около двух сотен советских граждан еврейской национальности якобы в целях эвакуации их из осажденного погромщиками города. ТАСС уполномочен заявить, что советский народ, глубоко возмущенный наглой агрессией сионистов, не намерен терпеть попрания своего суверенитета. Вылазка оголтелой израильской военщины не останется без ответа. Вся наша страна вместе с прогрессивной мировой общественностью требует безоговорочного возвращения на родину граждан, силой угнанных в рабство сионистскими головорезами, и возмещения убытков, причиненных нашей стране этим бандитским налетом».

Все в посольстве оживленно обсуждали это известие, пытаясь угадать: что же все-таки предпримет Кремль, если Израиль советских евреев не вернет. Но отчет писать все-таки должен был Вилли, что он и исполнил с присущей ему непринужденностью. Уже вечером он для собственного удовольствия шарил по эфиру, нащупывая реакцию на израильскую вылазку.

Резче всех почему-то отреагировал Самарканд. Оттуда призвали ответить священной войной израильским агрессорам. 6-я Ударная армия, отошедшая как раз к Павлодару, пообещала навести порядок на Ближнем Востоке, как только разделается с басмачами. Неистовствовал Калининград, обвиняя во всем ревизионистов, сговорившихся с сионистами. Новгородская республика заявила, что не видит никакой разницы между этническим составом Жмеринки и Израиля, разве только в Жмеринке поменьше мусульман. Так что пока Израиль не претендует на присоединение Жмеринки к своей территории — нечего Кремлю вмешиваться во внутренние дела еврейского народа.

Батько Савела направил «господам иерусалимским генералам» обращение уж вовсе для Вилли неожиданное. Он поздравил Израиль с разумной инициативой и блестяще проведенной операцией, но упрекал в недостатке размаха. «Як вы вже, хлопцы, забираете своих жидов — то ж забирайте ен усих, а як вам транспорта не хватит, то я помогу...» В заключение батько Савела ставил Израиль в известность, что через неделю все еврейское население контролируемой им территории будет собрано возле военного аэродрома рядом с Гуляйполем (приводились координаты) на предмет репатриации на землю предков. Батько Савела предлагал провести репатриацию в ударные сроки, обещал каждому уезжающему выходное пособие в размере кожуха и мешка гречки и намекал на то, что угрозу погрома, если это необходимое условие еврейской эмиграции, его хлопцы создадут.

Рабочие Урала отреагировали еще менее понятным образом: в знак солидарности с жителями Жмеринки они объявили бессрочную забастовку.

И только майор Брусникин, прослушав сообщение ТАСС, не выразил никакого волнения. «М-да, дела, — вздохнул он, — нам бы парочку таких самолетов...» Но этого частного мнения Вилли Хардинг, конечно, слышать не мог.

Глава 19

ПОСЛЕДНИЕ КИЛОМЕТРЫ

Низко над горизонтом мелькнули три боевых вертолета. Ми-24 — определил Зубров и понял: его крупно обманули.

Уже эшелон Рязань миновал, уж Коломна скоро, и вот вновь перед эшелоном кто-то путь ломает. Вроде зеленые, но уж больно хорошо вооружены и ломают путь слишком профессионально. Осмотрел путь Зубров в одном месте, в другом, третьем. Следы порчи свежие. Часа за два, за три до подхода эшелона профессионалы поработали. Подумал Зубров да и выслал разведку назад. Результат — позади эшелона никто путь не портит. Портят только впереди. Вывод: порча ведется не ради остановки технического прогресса, но с более узкой целью: кто-то хочет остановить Золотой эшелон. У Зуброва уже есть догадки о личности злоумышленника. Надо проверить. И решил преподать урок. Сформировал группу Брусникина из трех отборных взводов, вывел ее ночью далеко вперед в лес, туда, где злодеи могли бы путь ломать вероятнее всего. Вторую группу во главе с Салымоном мелкими засадами расположил вдоль другой стороны пути: в случае чего — сигнальте. А сам забрал все газики, посадил на них надежных ребят и вышел ночью далеко вперед от эшелона: мобильная группа готова появиться там, где злодеев застанут. Сидит Зубров в засаде, ждет сигнала, и вот тут увидел он на горизонте тройку Ми-24, а уж за ней пятерку Ми-8. Шли вертолеты не вдоль железной линии, но пересекли ее, уходя на север. И понял Зубров, что тут-то он и попался.

Все эти повреждения пути, выполненные профессиональной рукой: имели просто целью выманить Зуброва с лучшими солдатами и офицерами подальше от эшелона. А выманив, ударят парочкой легких вертолетов с юга, оттуда удобнее всего: там к самой линии подступают холмы и пролески. Ракетами вертолеты стрелять не будут — чтоб не повредить груз, но пулеметами беды наделают и скроются. Все внимание оставшихся в эшелоне будет приковано к этому самому вероятному направлению атаки, а в это время с севера, с очень, казалось бы, неудобного направления появятся тяжелые штурмовые Ми-24 и с предельно короткой дистанции разобьют эшелон в щепки, груза не повредив, и десант высадят для захвата. Вот именно эту группу вертолетов Зубров и видел на горизонте: три тяжелых бронированных Ми-24 — это пушечный удар, а пять Ми-8 — это десантная рота. Вот и все. Закусил Зубров губу. Знал, что Драч хороший служака, знал, что Драч бесподобный хозяйственник, ему бы премьер-министром быть! Экономикой править. А как тактик — он ноль. И не успеть Зуброву к своему эшелону — далеко вперед его занесла нелегкая. А если и появишься там у эшелона со своими легонькими газиками, то вжарят по тебе Ми-24 из автоматических пушек и не останется даже времени о мести помечтать. Эх, Драч, вся надежда на твою стратегическую гениальность.

Не мог знать Зубров, что в этот самый момент Драч уже лежал в луже крови. Он еще дышал, еще говорил. Двух солдатиков рядом убило сразу. Все они втроем под одну пулеметную очередь попали. Были и другие жертвы, и немалые. А ведь всего-то только и появилась из-за горизонта пара легоньких вертолетов. Вот что значит внезапность! С юга к самому пути подходят пролески и холмы. Вот оттуда они и появились. Сбежались к умирающему Драчу солдаты. Прибежал повар Тарасыч: да завяжите ж рану, идиоты, может, человек больше вашего проживет, может, всех нас переживет еще и великим станет, а ну, где бинты, морфинчику тащи. Вроде тут забегали. И знает старый солдат, что сейчас еще удар будет: все из вагонов повысыпали, самое время бить. И нет никакого командира рядом. Некому Золотой эшелон принять. Понял Тарасыч, что пришла пора ему над эшелоном принимать командование. Зубров-то всех опытных с собой забрал, только в эшелоне и остались что тыловики с Драчом во главе да расчеты башен, ремонтники да бабы. Ранили Драча, будем надеяться, что несмертельно, вот и нет никакого управления. А знал Тарасыч, старый солдат, что в ситуации такой должен кто-то самозванцем взять власть и править. Сурово править, глотки рвать. Пусть неправильно командовать, но хоть как-нибудь: лучше всем вместе неправильно воевать, чем каждому поодиночке. Знал, ибо однажды роту целую в бою принял, когда снайперы выбили всех офицеров и сержантов. Молод тогда был Тарасыч и кричал молодым петушком, оружием угрожал, и знал, что команды его не уставные, но орал, требовал, себе горло рвал и других за глотки держал. Может, чудо ему помогло, может, решили нападающие, что все равно не пробиться тут — и отошли. Но удержал Тарасыч тогда перевал Саланг, там его впервые судьба свела со старшим лейтенантом Виктором Зубровым, который зачем-то тряс Тарасыча за плечи и кричал в лицо:

— Проси, солдат. Что хочешь проси!

А что просить, когда обе ноги перебиты. Что просить? Чтоб в спецназе оставили? Спецназ — волчья жизнь и волчья работа, и спеца, как волка, только ноги кормят. Солдат на спецу без ног, это вроде боксер без кулаков или снайпер без глаз. Провалялся Тарасыч много месяцев по госпиталям, все бока отлежал. Выписывается почти калекой, а ему приглашение в спецназ!

Правда, работу нашли единственно возможную — поваром. Повар в рейды не ходит. В рейдах без повара обходятся. И потому повар — единственно возможная на спец профессия, где резвость ног главным требованием не является.

Понял Тарасыч, что, кроме него, некому принять Золотой эшелон под командование и боязно: Зуброву сколько раз в командирскую рубку завтрак носил, а там кнопочек и лампочек — целый табун, свора целая. Как с ними управиться? Ладно. Была не была. Решил и рванул к бронеплощадке. Тут его (и всех остальных в эшелоне) сразил тоненький голосочек в громкоговорителе:

— Я — Первый.

Никогда еще Первый женским голосом не говорил. Чудеса. Что еще скажет? А голосочек не дрожал:

— Всему личному составу — боевая тревога! — Ухмыльнулся Тарасыч — ишь, зараза, каким языком выучилась говорить. Недаром на командирской кровати спит.

— Тепловозу.

— Я! — рыкнул машинист в селектор так, что во всех вагонах эхом стукнуло.

— В случае новой атаки вертолетов — резкий рывок вперед, скорость максимум.

— Впереди путь не проверен. Лучше рвануть назад — там выемка в грунте, она нас от снарядов спасет.

— Тепловозу. За невыполнение приказа — ...запорю шомполами. Башням БМД. Первая — обзор и обстрел назад и вправо, вторая — назад и влево.

— Понял, — подтвердил командир первой. — Понял — подтвердил командир второй.

— Зенитная башня «Шилка» — обзор радаром вперед и влево на юг.

— Понял.

— Танковая башня — обзор и обстрел — на север.

— Никого на севере нет и быть не может. Там поле чистое. Что, они из поля появятся?

— Кто танковой башней командует?

— Рядовой Сабля.

— Рядовой Сабля, у нас тут не броненосец «Князь Потемкин Таврический». Повторите полученный приказ.

— Обзор и обстрел на север.

— Правильно. Тарасыча на связь.

— Я! — заорал в микрофон Тарасыч, удивляясь, зачем он нужен при распределении боевых задач.

— Тарасыч, в танковой башне назревает смута, не будете ли любезны при повторном неповиновении расстрелять виновного.

— Да я его мигом. Разрешите, Оксаночка... простите. Разрешите, товарищ Первый, я с ним по громкой связи поговорю.

— Разрешаю.

— Сабля, прохвост, ты слушай, когда тебе говорят с командного пункта! Смотри, Сабля... — ругается Тарасыч, а сам думает: твердое командование — это хорошо. Но уж эта сцыкушка накомандует. Кто ж главную башню в пустое поле отворачивает!

Оксана сама не знала, зачем приняла командование над Золотым эшелоном. Просто ей показалось, что надо так, что если она этого не сделает, то погибнет весь эшелон. В тактике общевойсковых подразделений она была не очень сильна, и это надо признать сразу. Просто она взяла и глянула на весь эшелон как бы со стороны, представив себя вражеским генералом. И вот она, Оксаночка — вражеский генерал, видит перед собою почти беззащитный поезд. Вот она на него нападает. Что поезд делать будет? Конечно, рванет назад — в выемку. А вперед не рванет: там путь недавно восстановлен и еще не проверен. И решила Оксаночка — вражеский генерал атаковать Золотой эшелон. Лучше всего, конечно, с юга ударить — тут холмы и пролески. Но ведь и в эшелоне же не дураки сидят. Ведь и они это понимают. И потому лучше врагам ударить не с юга, но с севера, откуда их появления никто не ждет.

Она не знала, что, рассуждая именно так, постигла весь курс тактики, которому людей годами учат в военных академиях, но которая сводится к простому правилу делать *не то, что противник от вас ожидает*.

Смотрит Оксана в перископ на север. Смотрит туда, откуда появление противника менее всего вероятно. Смотрит в пустое поле и сама себя ругает — упрямство свое. Они все солдаты с опытом, а она-то пацанка, боя не видавшая, пороху не нюхавшая. Смотрит Оксана в оптику голубую и глазам своим плохо верит: выплывают три вертолета с севера. Морды у всех акульи, а за ними еще пять, с виду таких же, но потолще.

— Сабля, — попросила она умоляюще защиты у командира танковой башни.

— Цель вижу. Вас понял. — Слова эти рядовой Сабля произнес так тихо и спокойно, что их никто и не услышал, а почувствовали все в эшелоне только дикий рывок и хлопок, рвущий уши. Только буфера по всему поезду волну ударную через себя пропустили. Прокатился лязг по буферам и затих в последнем вагоне. И только тут хлестнул пушечный выстрел по окнам, жалобно задребезжавшим. А у Сабли автоматическое заряжание! Тут же танковая пушка рявкнула еще и еще. И гарью пахнуло, а ветер, сухой и жгучий, по лицам полоснул. У снарядов танковой пушки начальная скорость настолько жуткая, что только вот грохнуло, а уж красная точечка трассера за горизонт скрылась. Первый трассер — левее головного вертолета. Второй трассер — левее. А третий трассер слегка головного вертолета коснулся. Трассер — это пиротехническая смесь, которая в донной части снаряда после выстрела горит ярким огнем, чтоб, значит, виден был путь снаряда. Сам-то снаряд не виден. А в снаряде энергия, которой вполне хватает многотонную башню с танка сорвать и бро-

сить ее далеко в поле. Что тому снаряду хлипкий верто-
летик, пусть даже бронированный? Много ли той брони? Против пуль автоматных спасет. Против осколков.
А тут снаряд бронебойный. Противотанковый. Коснулся трассер вертолета. Тряхнуло вертолет так, что лопа-
сти винтов рубанули кабину. Тряхануло так, что в тур-
бинах двигателей сорвало лопатки и бисером небо
изукрасило. Тряхануло вертолет так, что там, где он
был, вдруг оказался рой мелких обломков в диком вра-
щении в тумане и каплях несгоревшего топлива.

— Славненько, — сказал тоненький голосочек товарища Первого.

Танковая же пушка взахлеб выдала еще одну серию,
теперь уже в пять выстрелов. Целил Сабля явно во второй боевой вертолет, но не попал. Вся серия трассеров
рядом прошла, вреда ему не причинив, но зацепив
слегка идущий следом транспортный Ми-8. Тут прямо-
го попадания не было, и потому вертолет рассыпался
не на мелкие, а на крупные куски, и люди, барахтающи-
еся в воздухе, были видны. Много. Это был вертолет с
десантом. Эта серия выстрелов имела еще одно приятное последствие: Ми-24, в который Сабля не попал,
резко дернул вправо, столкнувшись с идущим следом
Ми-8. Сабля стрелял еще. Был одиночный выстрел, потом серия из трех, снова одиночный и серия из пяти.
Но больше он ни в кого не попал. Оставшиеся вертолеты рассыпались и, энергично маневрируя, ушли.

— Ай да Сабля! Ай молодец! Да я тебе персональных
котлет нажарю. Сам сейчас зайчика в поле поймаю и...
только очень, Сабля, не гордись. Хорошо стрелял, только куда бы ты попал, если бы товарищ Первый твое
свиное рыло в правильное направление не развернул?
Так я говорю, Оксана Александровна?

Не ответил на этот раз командный пункт. Гордая —
решили. А Оксана сидела в слезах на полу. Ей было
стыдно и обидно. Ей было обидно за этих глупых муж-

чин, которых только угрозой расстрела можно повернуть в нужное направление. Ей было стыдно за себя, за свой тон и за свои угрозы. Ей было жаль тех людей на вертолетах, которых убили ее приказом. Ведь можно же было просто отогнать их огнем, не убивая! И вообще можно было миром договориться. Ее мучила досада и горькая обида, а еще подступила тошнота. То ли отравилась грибами лесными, которые сама и нашла у самых рельсов, и сама же готовила Зуброву. Странно, она-то этих грибов не ела. А может, отравилась она там, в зоне смерти? Или, может, прицепилась к ней неизвестная ранее хворь?

С тяжелым сердцем возвращался Зубров к разбитому эшелону. Дым увидели давно. На дым и ориентировались. Подъехали. Горит поле.

— Командир, как же это? До эшелона полкилометра!

Зубров и сам это понимает. Неужели так обломки раскидало? Чем же это так стукнуло?

— Командир, обломки!

Потрогал Зубров обломок. Взматерился, не было в эшелоне титановой брони. Откуда?

— Командир, так тут целый вертолет!

Смотрит Зубров, и остальные дивятся. Лежит вертолет на боку, и трупов обгоревших считать не хочется. И другой вертолет чуть подальше — вернее, то, что осталось от него. А там в поле ещё какая-то груда. А эшелон-то где?

— Вот он, командир!

Стоит вдалеке на насыпи целенький — вовсе не там, где остановили. Синим кажется, а вокруг все золотое: за кат. Шпорит Зубров Аспида:

— Жми, Петя, сокрушу!

Аспида, однако, подгонять не надо: чуть с разгону на насыпь не влетел. Взвыли тормоза непокорно. Тарасыч у бронеплощадки, перед строем, в готовности рапортовать.

— Доложи.

Вся накопленная годами сдержанность понадобилась теперь Зуброву, чтоб сказать это слово, как положено.

— Товарищ полковник, эшелон был атакован с воздуха десятью вертолетами. Потери противника: два боевых и два транспортных вертолета. Наши потери: двое убито и один ранен. Капитан Драч.

— Молодец, Драч, настоящий командир.

— Товарищ полковник, прошу прощения: капитан Драч был ранен в самом начале и боем не командовал по причине потери сознания.

— Так это ты, Тарасыч, эшелон на себя взял?

— Не успел, товарищ полковник.

— Кто?

Личный состав вдруг размягчил морды улыбками.

— Кто командовал?

— Оксана Александровна.

— Как?!

— Дай бог каждому.

Рванулся Зубров в командирскую рубку. С грохотом дверь распахнул. Вскинулась на это Зинка Гном от командирской шинели, под которой что-то тоненько всхлипывало.

— Ранили? — выдохнул Зубров.

— Да нет, полковник. С будущим вас прибавлением. Вы кого заказывали: мальчика или девочку?

БДТ плавно затормозил у деревянной развалюхи. Что-то тут было не так, и только через несколько секунд Зубров усек, что именно: к обветшалой двери вела дорожка из бетонных плит стандартного размера. Зубров высунулся из люка. Сидевшие на деревянной лавке старушки с интересом уставились на полковничью фигуру.

— Эй, бабоньки, где у вас тут Петрович живет?

Старушки переглянулись. Затем одна из них махнула усохшей птичьей лапой и направила:

— Езжай прямо, служивый, до коровника доедешь — тут рукой подать, — вертай налево. Там на пригорке Петровича дом и будет.

— Спасибо, бабка.

Через минуту Зубров легко спрыгнул на землю у нужного дома. Дверь, обложенная кованым железом, беззвучно распахнулась. На порог вышел высокий русоволосый мужик. В его серых глазах не было ни страха, ни наглости, ни спешки. Зубров почему-то ощутил, как он одичал и зарос за дорогу. Смягчив командный металл, он спросил:

— Петрович ты будешь?

— Я.

— Так выручай, Петрович. Друг у меня раненый там в машине. Пуля в животе. Помирает. Люди по дороге советовали к тебе ехать.

— Давай его сюда.

Повинуясь резкой команде Зуброва, солдаты бережно вытащили запрокинутого Драча. Капитан был без сознания. Носилки, на которых он лежал, промокли от крови.

Из люка выпрыгнула Любка Машкара с зареванным лицом. Не обращая ни на кого внимания, она приникла к носилкам и положила ладонь на лоб раненого. Петрович глянул и сказал Зуброву:

— Зайди в хату.

Зубров вежливо поздоровался с молодой женщиной, сидевшей над вышивкой.

— Дай, Марья, гостю молока, — распорядился Петрович. Он взял с полки радиотелефон, нажал какие-то кнопки и почти сразу же заговорил:

— Вечер добрый, Семен. Тут мужика привезли. Пулевое ранение в живот. Сколько тебе надо на подготовку? Ага. Будем.

Не успел Зубров подивиться радиотелефону в глухой деревне, как в дом вошел молоденький хлопец, очень похожий на Петровича, только голубоглазый.

— Леха, добеги до Леси, скажи — батя просит. Скоренько!

Зубров выпил поднесенный Марьей стакан, и они с Петровичем вышли на крыльцо. Драч простонал еле слышно. Петрович сказал:

— Чем можем, поможем. А там — как Бог даст. Операционная будет готова через полчаса. Это тут рядом. Таскать его, — Петрович указал глазами на раненого, — зря не стоит. Пусть пока тут полежит. Не холодно.

— Кровью истечь может.

— На этот счет не бойся. Вон Леся идет.

Худенькая женщина с совершенно седыми волосами подошла к носилкам. Зубров вздрогнул, увидев ее лицо. Властным жестом она отстранила Любку, и та беззвучно повиновалась. Сдвинув с живота Драча бестолковую повязку, она обтерла рану откуда-то взявшимся мокрым полотенцем. На миг стали виды края отверстия, а потом снова хлынула кровь. Рука женщины повисла над раной. Ладонь шла вдоль живота, не касаясь его. Зубров и солдаты стояли молча. В полной тишине Леся забормотала:

— Руда, мать жильная, уймись, руда, назад вернись, как воды под камнем не стало, так бы тебя, руда, не бывало. Кровь-земля — одна семья...

Леся наклонилась ниже, и дальше ничего нельзя было расслышать. Затем она встала, и Зубров снова увидел рану. Ее края стянулись. Кровь не шла. Леся ответила на все благодарности кивком головы и ушла.

— Она с Дона. Беженка. Что там с ней стряслось — никто не знает. Она с людьми не говорит ни слова. Со скотиной только и со всем, что на земле растет. Мы теперь без нее огороды не засеваем. И больных она жалеет.

— А что она еще лечит? — спросил Зубров.

Петрович усмехнулся:

— Ну, если тебе голову оторвет — то обратно не приставит. А вот рожать с ней, бабы говорят, одно удовольствие.

Бежевый кафельный пол в маленькой операционной Зуброва уже не поразил. Он настоял на своем присутствии при операции. Возражать не стали. Однако ему пришлось раздеться догола, быстро принять душ и нарядиться в зеленый халат с колпаком.

Драч уже лежал на столе. По капельнице ему что-то закачивали в вену. Врач Сеня возился с фиброзондом. На кончике зонда вспыхнул яркий огонек. Тогда Сеня ввел зонд в рану и прильнул к окуляру. Он вводил зонд глубже и глубже. Драч поскуливал, не приходя в сознание. Потом Сеня остановился и стал поворачивать какие-то рычажки на ручке. Когда зонд плавно вышел из раны, в миниатюрных щипчиках на конце его была зажата пуля.

— Драч твой в рубашке родился, — сказал Сеня Зуброву. — Даже брюшная полость не задета. Небольшая вена перебита, вот и все. Ну, и болевой шок: нерв там рядом. Крови потерял, правда, много. В общем, недели за две очухается. Шьем.

Раскрасневшийся после бани Зубров сидел за столом напротив Петровича. Все уже легли спать. А полковника повело на разговор.

— Не привык я, Петрович, вопросов лишних задавать.

— Ладно, спрашивай. У тебя тоска в глазах, как на верную смерть идешь. Не в раненом друге, видно, дело. Спрашивай.

— Я полземли истопал. От Кандахара до Вестдорфа. А вот деревни твоей понять не могу. Вокруг страна в войне гражданской. Люди хуже шакалов стали. Мор вокруг, кровища. А вас это все вроде как обтекает. Хоть оружия с собой не носи. Ты ж не юрод, чтоб страха не знать. И вокруг же не ангелы, чтоб вас не трогать. Как оно выходит?

— Нашел кого спрашивать. Думаешь, я сам знаю, почему нас тут всех не перерезали? Думаешь, я так уверен, что завтра не перережут? Может, у вашего брата бандита вдруг новая идеология появится, по которой нас всех — к стенке, с мальцами? Так прикажешь жить в ожидании стенки? И детей так растить? Черта лысого! Тут люди живут. И работают, как люди. И умрут, как люди, — если вы резать придете.

— Стоп-стоп, Петрович! Ты меня вроде как в бандиты записал?

— А кто же ты есть? Ты не горячись, ты сам посуди. В любой стране и в любое время бандиты, жулики и работники — в определенной пропорции. И без них без всех стране не прожить. Без бандитов не защитишься. Без жуликов торговли и законодательства не будет. Да и части врачей тоже. А без работников — вся эта шушера и дня не проживет. Уже пробовали. Всех повыбили — и сами зубы на полку. Тогда опомнились, начали уважать. Ты в армии давно?

— С Суворовского училища.

— Тогда знаешь, что такое в армии умельцы. У них, пацанов восемнадцатилетних, ремесло в руках — и как они у вас нарасхват!

Хоть водопроводчики, хоть ювелиры, хоть парикмахеры — чем они в армии занимаются? Да своим же ремеслом! А вы им фиктивные документы оформляете, чтоб только они работали: канализацию вам чинили или жен офицерских стригли под Мэрилин Монро! Кто кого за глотку держит? Кто за чей счет живет? То-то и оно. Работник — всему основа. Поди нас вырежь — к кому потом бежать, если прижмет? У нас тут работники, других не держим. Кого война пригнала, кто сам пришел. К нам все окрестные банды раненых возят. Даже если враги при этом встречаются — то у нас отношений не выясняют. И не грабят тут, хоть и знают, что есть чего. Ты на своих солдатиков посмотри: морды бандитские — дальше некуда, а тут не озоруют. Смерти понюхали, так и не плюют в колодец.

— А меня ты, Петрович, все же в бандиты зачислил?

— А кто ты еще? Работник, может? Или жулик? Бандит ты и есть.

— Это как это? Я честно служу.

— А кому это ты, интересно, служишь?

— Я человек казенный. Присяга...

— Ты не оправдывайся, что по молодости лет да сдуру кому ни попадя присягал. Ты в присяге страну от врагов защищать обещал, а чем сейчас занят? Под конвоем невесть откуда спецгруз особой важности в Москву везешь. Мыла контейнер! Вот уж действительно боевая задача! Вся Россия на тебя смотрит: будет кремлевским маразматикам чем мыться или нет? Только родину сюда не приплетай. Присягал бандитам — так и сам бандит. Что молчишь? Не согласен, что ли?

— Власть в стране нужна. Без нее анархия, разруха будет.

— А то ее сейчас нет! А то десять лет назад с голоду не бунтовали! А то эти, которым ты присягал, о чем другом думают, кроме как побольше золота за границу перевезти, да в какую страну потом смыться! Ты думаешь — им не все равно, что тут будет?

— Все это, Петрович, так. Однако обстоятельства есть. Если я в Москву контейнера не доставлю, то мою родную деревню артогнем накроют. По ошибке якобы. А у меня там...

— Постой, полковник! Ты же сказал, что мыло из контейнера сперли!

— То-то и оно...

— Так это ты решил идти сдаваться? И пытаться объяснить, что никакого секретного груза не было, мыло одно? Авось уж, если и прикончат, то только тебя одного?

— Там посмотрим, — ответил Зубров уклончиво.

Петрович налил по стопке водки. Молча выпили. Закусили огурцом Марьиного посола.

— У меня к тебе, Петрович, просьба есть.

— В таком положении, как у тебя, не отказывают. Говори.

— Девчонка у меня в поезде. Молоденькая совсем. Делать ничего не умеет. Стало быть, тебе не ко двору. Сбереги ее, а?

— Небось беременная.

— Похоже на то.

— Не волнуйся. Хата у меня большая, поместимся.

— Уж я не знаю, как мне тебя и благодарить.

— Пустое это. Ладно, уже спать пора. Ты хоть и не малец, а я тебе на ночь сказку расскажу. Греческие мифы читал в детстве?

— Не довелось. Говорю тебе, Суворовское училище...

— Так слушай. Лет этак три тысячи тому назад одни греки с другими не поладили. Десять лет воевали, и никто никого одолеть не мог. А все дело было в том, чтоб столицу взять. Так что же они выдумали? Сколотили деревянного коня, да внутри весь гарнизон и спрятали. Подкатили к стенам столицы — вроде как прощальный подарок, вроде как пасут они. Те дурни обрадовались, в город коня закатили и давай праздновать. Тут греческий батальон повылазил, кто на пути был — перерезали, и открыл городские ворота. После этого пословица пошла: про дареного коня. А теперь пошли спать.

Поднялись на рассвете. Марья накормила всю ораву вареной картошкой. Петрович поехал с ними к эшелону за Оксаной.

К выпрыгнувшему из БДТ Зуброву подскочил плечистый капитан и доложил:

— Товарищ полковник, за время вашего отсутствия никаких происшествий не было.

— Отлично. Заправь БДТ до отказа. Уложи в него оружия на два отделения, чтоб деревню защищать. И горючего. Не жалей ничего. Выполняй.

— Есть.

Зубров с Петровичем влезли в командирский вагон. Оксана бросилась навстречу Зуброву, но смутилась, увидев незнакомого человека.

— Девочка моя. Это Петрович, познакомься. Собирайся быстренько. Ты поедешь с ним. Со мной в Москву сейчас нельзя. Не бойся, все будет хорошо.

Оксана, не говоря ни слова, ушла в купе. Чтоб не плакать — надо задержать дыхание и считать до двадцати. Это было самой важной наукой, которую она усвоила в школе. Зубров и Петрович закурили.

— Свидимся ли еще, Петрович?

— А вдруг и свидимся? Дуракам везет, знаешь? Приедешь ты за своей Оксаной, а у нее дитенок в пеленках брыкается. Заберешь обоих и поедешь в свою деревню. Хотя нет, не доедешь. Ты себе еще какую-нибудь мороку найдешь, чтоб уж точно не сносить головы.

— А ты б меня к себе в подмастерья взял?

— Нет, полковник. У тебя другая судьба, от этого не спрячешься.

— Спасибо тебе за все, Петрович. Хороший ты мужик. А деревню свою ты противотанковым рвом обкопай. На случай, если мне не повезет.

— А как же! Завтра выйду с лопатой до завтрака и, пока Марья яичницу жарит, — как раз и обойду всю околицу: пять метров ширины, два с половиной — глубины. Плевое дело!

— Ишь ты, устав знаешь! — рассмеялся Зубров. — А БДТ водить умеешь?

— Водил на переподготовке.

— Я тебе его оружием загрузил. По нынешним временам в хозяйстве пригодится.

— Спасибо тебе, Зубров.

— А раз ты противотанковый ров копать ленишься — я уж постараюсь, чтобы мне повезло.

Тут вышла Оксана с узелком в руках, и Зубров обнял ее, что-то шепча. Петрович отвернулся, обозревая линию горизонта.

— Витенька! Ты вернешься, правда? С тобой ничего не случится?

— Ну что со мной может случиться, маленькая? Я приеду за тобой. Будь спокойна. Если вдруг задержусь, а будет девочка — Оксаной назови. А мальчика — как хочешь.

— Витенька, мне страшно.

— Вот глупенькая. Петрович добрый, и жинка у него хорошая. Никто тебя не обидит. И Любка там будет, и Драч.

— Он поправится?

— Конечно. Врач сказал: две недели — и как огурчик. Девочка моя! Тебе нельзя плакать. Ребеночку вредно.

— Я и не плачу, чего выдумал! Все в порядке. Поцелуй меня и иди. Иди-иди, не оглядывайся. Петрович, увезите меня, пожалуйста, поскорее! Нельзя долго прощаться, ведь правда?

— Правда, доченька.

Оксана честно не плакала — до самого поворота дороги, за которым Зубров не мог ее более видеть.

Глава 20

ШУТКИ ФОРТУНЫ

Миновали уже и Люберцы, а в командирской рубке все шло чаепитие. Зубров держал речь.

— К Москве подъезжаем. Как нам с главным долгом разбираться — там видно будет. А долг номер два у нас — перед Полем. Мы его все же без мыла довезли. Некрасиво получается.

— Да что ты, Виктор, я все понимаю. Это же не ваша вина! — вскинулся Поль.

— А ты, Поль, не горячись. Что, господа офицеры, делать предлагаете?

— По анализу перехвата вагон мыла должен сегодня прибыть на Красную Пресню. Может, это самое мыло и есть, которое у нашего Поля умыкнули, — сообщил Брусникин.

Подбросило Зуброва:

— Так что делать будем?

— Брать надо, — оживился Салымон.

— Так ясно, что брать, — как? — оскалился Брусникин.

Глянул тут Зубров на свои сапоги и улыбнулся им:

— А на этот счет мне один хороший человек недавно сказку рассказал. Брусникин и Салымон, собирайте лучших ребят. Место ваше в контейнере. По триста патронов на брата хватит? Ну и лопату на каждого. Действуйте! А ты, Поль, при мне пока оставайся.

С тем и подошел эшелон к Красной Пресне. Там, однако, ждали. Не прошло и пяти минут, как Золотой эшелон, пустой и брошенный, оказался на запасном пути. Зубров с сорванными погонами ехал в черной «Волге». За руки его заботливо придерживали два вежливых молодых человека. Так же вежливо два пистолетных ствола упирались ему в бока. Другая «Волга» тем же манером везла Поля. Процессию завершал огромный тягач с контейнером в сопровождении мощного эскорта.

Что находится вокруг Ходынки — каждый москвич знает: ведущие конструкторские бюро Советского Союза. Космосом там занимаются, авиацией и прочими серьезными вещами. Что находится на самой Ходынке — каждый захудалый шпион знает: военная разведка ГРУ, ее тайный аэродром и ангары с самолетами правительственной эвакуации. А вот что находится под Ходынкой — предстояло узнать полковнику Зуброву.

Длинные правительственные лимузины бесшумно отъезжали от известного места, а их хозяева в лифтах опускались глубоко под землю, под толщу пятиметровых перекрытий. Последним прибыл второй секретарь Боков. Он оглядел собравшихся. Все были на месте.

— Ну что ж, товарищи, приступим?

Тут к Мудракову подошел министр обороны Мазов — сзади. И председатель КГБ ощутил спиной жесткий срез пистолетного ствола. Чувство это было ему знакомо по страшным снам, и он даже не сопротивлялся. Министр внутренних дел бегло ощупал его, изъял два пистолета, затем, церемонно преклонив колено, срезал с мудраковской ширинки пуговицу и «молнию».

— Теперь, когда все мы готовы, — благосклонно улыбнулся второй секретарь, — пройдемте, товарищи, к контейнеру, и посмотрим, чем так долго и упорно интересовались товарищи Мудраков и, к сожалению, здесь отсутствующий Хусейнов.

Все безропотно прошли в открывшуюся дверь. Зал — бесконечный, залитый светом — мог бы походить на станцию метро. Только рельсов не было. Двадцатипятитонный контейнер, ярко-оранжевый, казался тут небольшой коробкой.

— Объяснения нам позже дадут эти двое, — указал второй секретарь на Зуброва, которому тут же возле контейнера заломили руки, и на побледневшего Поля. — А теперь, товарищи, посмотрим наконец на этот таинственный груз.

Рванули охранники дверь. Из темноты контейнера на пол спрыгнул огромный детина с лопатой в руках. За ним посыпались другие. Члены Политбюро и охрана остекленели. Ожидалось все, кроме этого.

Заморгал Салымон на яркий свет, оглянулся вокруг. Что за чертовщина? Куда ж это нас занесло? А где Зубров? Вон он, связанный и погоны сорваны. И решительно не понравилось Салымону, что какие-то двое его еще и держат. А эта орава кто? Ба, знакомые все лица! Да я же их портреты в тринадцатой роте по зубровскому приказу крушил! Они самые, голубчики!

Делать-то что? Какие будут приказы? А никаких приказов не слыхать. Шевельнул Зубров белыми губами, да не разобрать. А этот толсторожий уже опомнился, за пистолет берется, и полетела в него Салымонова лопата, и врезалась. А вдогонку уже грянул боевой клич:

— Салымон! Бей!

Это был первый приказ, который Салымон отдал сам себе.

— Славненько, — поощрил Зубров.

И полтора десятка лопат вспороли воздух. Раньше свист, потом звук, как арбузы полопались, потом уже крики. Что делать охранникам с автоматами? Но не им уже это было решать. Спецназ вошел в раж — и крушили, и крошили в капусту всех, способных к сопротивлению и неспособных — не разбирая. Через пару минут все было кончено: не то чтобы живых не осталось, но надо было теперь уже вникать — кто покойник, а кто просто прилег. Аспид тем временем срезал с Зуброва веревки — или что там было наверчено. А Салымон, не стерпев командирского вида без погон да и без кителя самого, оглянулся вокруг — чем бы его прикрыть. Тут в углу шевельнулось что-то и проскулило. Было оно в маршальском кителе, и Салымон, недолго думая, владельца из кителя вытряхнул — башкой в стену.

— Держи, командир! Надевай!

— Да мне, Салымон, это не по чину!

— А чего такого? — обиделся Салымон, — месяц-то твой, командир, сегодня истек. Теперь батальону решать, что тебе по чину. А мне — в исполнение приводить. Так у вас, товарищ маршал, есть сомнение — как ребята решили?

— Да, пожалуй, нет сомнений полковник Салымон.

— Вот славненько, — заулыбался Салымон, — какие будут распоряжения?

— А посмотрите, ребята, остался ли кто живой.

Тут из-под бесформенной груды извлекли юркого человечка и, встряхнувши, поставили перед Зубровым. Человечек оказался не только целым, но и дара речи не утратившим.

— Товарищ маршал...

— Товарищей тут тебе больше нет! — рыкнул Сабля из-за его спины.

— Господин маршал! Ваше превосходительство! Разрешите доложить!

— Докладывай!

— Не велите казнить, ваше благородие! Могу оказаться полезным...

— Чем?

— Я у второго личным референтом был, все знаю. Тут, ваше сиятельство, государственный переворот готовился. Все линии связи ждут передачи сообщения особой важности. Ведущие корреспонденты ждут, чье имя объявить. И радио тут, и телевидение... Прикажите провести на место!

Кивнул Зубров Аспиду и Сабле, те взяли референта под руки. Но прежде чем двинуться с места, сказал Зубров негромко в пространство:

— Приказом верховного главнокомандующего возвожу всех присутствующих — кроме этого, конечно, — в офицерский ранг. Конкретные звания уточню позже. Ты! Показывай дорогу! Пройдемте, господа офицеры!

Юркий референт провел их в другой какой-то зал, поменьше, где Зуброва немедленно осветили прожекторы. Тут напихано было микрофонов, мониторов и прочей техники. Людей, однако, не было.

— Прикажете запускать?

Тут до сих пор безмолвный Поль тронул Зуброва за плечо:

— Виктор! Я могу тебя просить одну вещь?

— Конечно, Поль. Ты уж извини, браток, с мылом не вышло пока.

— Это неважно! Виктор — дай мне связь, пока ты не начал. Один телефонный звонок — и ты сделаешь меня богатым.

— О чем, Поль, разговор! Генерал-майор Брусникин! Не согласитесь ли вы принять пост министра связи?

— Соглашусь, господин маршал.

— Тогда первое задание: свяжи Поля, с кем там он захочет.

Поль и Брусникин вошли в коммуникационный центр и Брусникин провел Поля в кабину.

— Что теперь, сэр?

— Соедините меня с Чикаго, телефон 312-544-3111. Попросите к телефону мистера Портмана.

Брусникин козырнул и вышел. Через несколько секунд он вернулся.

— Господин Портман на линии, сэр.

— Артур? Говорит Поль Росс. Да, я звоню издалека, и у меня мало времени. Обещай мне, что ты сделаешь то, что я тебя попрошу сейчас, — и никому об этом и звука не проронишь. Договорились? Как обстоит дело с ценами на золото? Ну да, я так и думал, что они упадут. А на зерно? То же самое? Ладно, слушай. Сними со счета все деньги и начинай покупать эти акции. И не теряй ни минуты! Нет, с ума я еще не сошел. Я знаю, все думают, что Россия рассыпалась, но я полагаю, что она обретет некоторую устойчивость. Такое развитие событий даст нам кое-что заработать на золоте и на зерне, не так ли? Ну, вот видишь. Подожди, пока цены не вырастут до максимума, но не продавай, пока я тебе не дам знать. Вот и все. И если я узнаю, что ты разболтал эту новость, ты у меня из суда не вылезешь за нарушение профессиональной этики. Покупай тихо, не вызывая ни у кого никаких подозрений.

Пока Поль чирикал по телефону, к Зуброву снова подкатился заметно осмелевший референт:

— Господин маршал! Разрешите доложить, гример готов.

— Какой еще гример?

— Так для выступления по телевидению! Без грима — как же?

— К чертовой матери! Догримировались уже, хватит! Обойдемся теперь без грима.

Хлынули в зал упитанные люди с бумагами, на ходу спрашивая, как зовут главнокомандующего. Неведомо как очутился Зубров за большим столом.

— Работают все радиостанции Советского Союза и Центральное телевидение! Передаем сообщение особой важности, — грянуло над ухом у Зуброва. Застрекотали камеры, и кто-то шепнул:

— Говорите, господин маршал!

И тут Зубров понял, что не знает он — что должен сказать. Что такое провозгласить, пока не рухнуло все, что хорошего осталось на этой земле, и не воцарился кровавый хаос — бездонный и окончательный. Может, в последний раз люди в телевизор с надеждой смотрят. Что он, Зубров, может им предложить? Украинцам, грузинам, Прибалтике — ясно: пусть сами себе разбираются, пока в разум не придут. А там видно будет — воевать ли, мириться. А русским, русским-то что? Ни звука в зале, только прожекторы слепят. Ждут все. И не знает, не знает Зубров. Никакая тут военная наука не выручит. Взялся за ближайший микрофон — аж костяшки побелели.

— Мать-Россия...

ЭПИЛОГ

Марья вбежала в комнатку, где Оксана раздумывала над двумя кусками фланели: розовое кроить или голубое? И какие размеры бывают у младенцев: как на куклу Катю или побольше?

— Оксаночка, беги скорей! Твоего показывают!

Взметнулась Оксана, ничего не понимая, и бегом в горницу, где уже вся семья у телевизора. А на экране — Витенька ее, в незнакомом кителе с большими погонами. Живой! Здоровый! Что-то говорит очень серьезно — про границы, про экономику... Какой он умный! А Оксана что-то поглупела, вникать и не пытается, ей лишь бы голос его слышать. Не арестован, значит. Не убит. Марья ее обнимает и что-то шепчет, но и шепота Оксана не разбирает, и слезы не стирает, чтобы не заслонить хоть на миг голубой экран. Как же мальчика назовем, Витенька, а?

Командующий Одесским военным округом генерал-полковник Гусев, получив предупреждение о предстоящем важном правительственном сообщении, спустился в бункер, в шелест стрекочущих компьютеров, в россыпи разноцветных лампочек и кнопочек. Экран главного информационного блока погас на мгновение, и исчезла карта стратегической обстановки. Устроился Гусев поудобнее, и тут возник перед ним Зубров.

И звезды. Было их три: по одной золотой на погонах и бриллиантовая на шее. То ли экран слишком уж велик, то ли операторы телевидения перестарались со светом. Но, отражаясь в зубровских звездах, он слепил теперь генерал-полковника беспощадно, в упор. Каково ж там должно быть Зуброву перед прожекторами?

Глубоко выдохнул Гусев, отгоняя посторонние мысли: всем сейчас важное правительственное сообщение слушать положено. Но не дали ему подумать: положил новый его шифровальщик запечатанный бланк — правительственная, значит, шифровка. А правительственные, как известно, положено вручать адресату немедленно.

— От Зуброва? — простонал Гусев.

— От маршала Зуброва, — мягко поправил шифровальщик, а у самого в глазах искорки легкого безумия.

Надо правительственное сообщение слушать. Так положено. И шифровку читать надо немедленно. Так тоже положено. Небось Юлию Цезарю потому удавалось несколько дел одновременно делать, что сам он себе правительством и был. Понимал Гусев, что в той шифровке — судьба его. Расписался. Долго расписывался, с завитушками, давая себе время собраться, как перед прыжком. Полковник Зубров был большой наглец — чего же ждать от маршала?

Пробежал Гусев глазами все индексы шифров, ключей, каскадов, и сразу к главному: «срочно нужен новый начальник генерального штаба тчк назначаю вас тчк указ подписан зпт но не введен тчк прошу вашего согласия тчк независимо зпт примете пост или откажетесь зпт присваиваю вам воинское звание генерала армии тчк поздравляю тчк зубров тчк».

Глянул Гусев на своего шифровальщика — тот стоит вытянувшись так, как перед генерал-полковниками не вытягиваются.

Да, господин маршал, заварили вы кашу. Кто знает, чем все кончится. Рискованный вы человек, господин маршал, уж я-то вас знаю. И нужен вам сейчас срочно начальник Генерального штаба из той же породы. Ладно. Будет вам начальник Генерального штаба.

Батько Савела, развалясь на ковре у телевизора, услышал дикторскую преамбулу о сообщении чрезвычайной важности и навострил уши. Не сказать чтобы он очень удивился, увидев на экране Витьку Зуброва: он всегда считал, что из этого парня выйдет толк, как только он с коммуняками перестанет путаться. Однако, хлопче, шо ты про Украину скажешь? Сдалась мне твоя Россия! Ось, вже про дило! От же ж государственная голова! От же ж разумник! Хоть бы и в гетьманы сгодился — если б, конечно, у русских хватило ума гетьманов выбирать. А на Украине мы и сами с усами. Добре, Витька, шо воевать нам с тобой не придется! Будем, значит, всякую дипломатию теперь разводить та дружественные отношения. Вышел батько на крыльцо, бровью повел — и стихла его вольница.

— А шо, хлопцы, дружку моему Витьке Зуброву подарим заради дипломатических отношений?

— Тачанку ему, батько! Расписную, да с пулеметом! Пускай гоголем по Москве ездит!

— А ще пару добрых коней! Серых в яблоках!

— Тю, дурной! Ему ж белых надо!

— А краще черных, с лентами!

— Та рушников пару! Нехай бабы вышьют!

— А може, ихнее русское знамя? Яки там цвета? Синий, белый — помню, а третий забыл...

— Красный, дурень!

— Ты мне голову не крути! Не может быть, шоб красный!

— А я ж тебе говорю...

И пошли савеловцы головы ломать над подарками. Непроста це штука — дипломатия!

Щегольской поручик Преображенского полка тоже смотрел телевизор в тот вечер. Господа офицеры после передачи собрались поделиться впечатлениями и осадить их шампанским.

— *Недурно, господа, право слово, недурная программа!*

— *Вы, ротмистр, идеалист, вам положено все видеть в розовом свете. Еще неизвестно, что из этого выйдет. Не очевидно, чтоб полковник...*

— *Маршал, господин поручик!*

— *Благодарю... так вот, чтоб ваш маршал склонялся к идее монархии.*

— *А почему, господин подпоручик, «мой маршал»? Мы ведь ему еще не присягали!*

— *Разумеется нет. Простите за неудачное выражение.*

— *А возможно, России монархия пока и не нужна?*

— *Господа, тогда мы и присягать не можем.*

— *Вот он говорит, что выборы — через полгода.*

— *Выборы кого? Советов?! Хватит, натерпелись!*

— *Не горячитесь, капитан, те советы никто не избирал. Да и слова он такого не употреблял, насколько мне помнится — советы.*

— *А первого Романова зато — избирали!*

— *Нет, господа, его речь программой назвать трудно. Это так — основание подумать.*

— *Вот и подумаем. Не присягать же кому попадя...*

— *Может, приветственный адрес ему отправим?*

— *Человеку, который ни разу не употреблял слово «империя»?*

— *Однако про армию он хорошо говорил...*

— *Про гвардию, однако, ни слова не изволил!*

Было над чем подумать Преображенскому полку. Всю ночь провели в спорах. До дуэлей, однако, не дошло. Решили наутро: пока не присягать, подождать развития событий.

Капитан Драч, находящийся на постое у деда Петро, узнав командира на экране, подскочил и заорал:

— *Любка! Дед Петро! Скорей идите!*

Любка подлетела мигом:

— Что, мой желанный? Водички?

Но, увидя «Ивасикова полковника», тихонько примостилась рядышком. Дед Петро вниманием телевизор не удостоил:

— Опять брешут чего-то. Как вам смотреть не тошно?

— Не, дед, на этот раз не брешут!

— А они каждый раз говорят, что теперь не брешут. Вы еще дурни молодые, вот и верите. А я уже старый-битый, все их масти повидал.

— Дед, он про собственность на землю говорит! Неужели же свой кусок земли получить обратно не хочешь?

— А вот и не хочу. Начну пахать на старости лет, а потом опять раскулачат, да еще и посадят. Или приедут из города — весь хлебушек конхвискуют. Хватит, видели!

— Да нет, дед, теперь все по-другому.

— Может, мне еще и сына с того света вернут?

Сына своего, арестованного еще мальчишкой за то, что собирал колоски на колхозном поле, пока отец воевал, дед Петро забыть не мог: двадцать лет вел поиск с помощью знакомого интеллигента, умевшего писать во все инстанции. Потом получил наконец свидетельство о смерти заключенного такого-то в исправительном учреждении. Притих, постарел в один день. И с тех пор никому не верил. Одна надежда у него оставалась, что власти и тут соврали, по своему обыкновению, и в один прекрасный день вернется в домишко его покосившийся сын Пашка — не малец уже десятилетний, каким его Петро оставлял, уходя на фронт, а взрослый мужик, кормилец. Посмеются они с Пашкой над брехливыми инстанциями и заживут — лучше не надо.

Полковник Зубров никак в этом смысле обнадежить деда Петро не мог, и потому внимания его не *заслуживал. А Драч и Любка в тот вечер еще долго шептались в своем уголке, но о чем шептались — слышать мог только упрямый дед, которому Петрович раздобыл недавно через Санька импортный слуховой аппарат.*

«*Говорит Лондон. Наш корреспондент сообщает из Лос-Анджелеса, что сюда по приглашению бывшего Президента США Рональда Рейгана прибыл на отдых Президент СССР Михаил Горбачев с супругой. Однако на состоявшейся вскоре по приезде пресс-конференции советские гости заявили, что не намерены более возвращаться в СССР и просят политического убежища у правительства Соединенных Штатов. На расспросы журналистов о причине такого неожиданного решения супруги Горбачевы ответили, что выбрали, наконец, свободу и чувствуют себя вполне счастливыми. «В этой ужасной и варварской стране никогда не будет настоящей перестройки», — заявил корреспондентам Михаил Горбачев, а госпожа Горбачева пояснила, что оба они получили приглашение прочесть курс лекций в университете в Беркли, где, как заявили гости, «остались еще настоящие последователи учения о научном социализме».*

Это неожиданное известие вызвало бурную реакцию всего мира. На японской бирже резко упали акции, что привело к столь же катастрофическому падению на биржах Гонконга, Нью-Йорка, Франкфурта и Лондона».

Американское посольство, обменявшись с Вашингтоном бурным потоком радиограмм, направило маршалу Зуброву поздравление с изъявлением готовности к мирному сотрудничеству. Зубров таковую готовность также изъявил.

Оборотистый Джим Хорн из Чикаго в тот же вечер уточнил, как правильно пишется имя Зуброва по-

английски, и пошел штамповать футболки с его портретами.

Четырнадцатилетняя Мария Де Лопес из Барселоны послала Зуброву вышитое ею изображение святой Терезы. В приложенном письме она спрашивала, как главнокомандующий относится к феминизму.

«Чем все это кончится? — спрашивали себя многие. И в тот день, и на следующий, и через неделю. — К худу ли, к добру то, что произошло, и во что выльется?» Однако на этот вопрос мог бы ответить только Миша-пророк. А он, как известно, телевизор не смотрит принципиально.

СОДЕРЖАНИЕ

В. Суворов, И. Ратушинская, В. Буковский, И. Геращенко, М. Ледин

3-81 Золотой эшелон: Роман. М.: Издательство «Гудьял-Пресс», 2000. 256 с. (Серия «Собрание»).

ISBN 5-8026-0082-9

Накануне распада СССР собрались четверо русских писателей, живших в Англии: Виктор Суворов, Ирина Ратушинская, Владимир Буковский, Ирина Геращенко, к ним присоединился англичанин славист Майкл Ледин. Общими усилиями сочинили они веселый роман-капустник «Золотой эшелон» — про то, как пришел в Одессу эшелон с контейнером мыла, мыло украли, завертелась интрига, одно вранье взгромоздилось на другое, другое на третье, и выход остался один — свергнуть советскую власть и тем самым спрятать концы в воду...

УДК 821.161.1-313.1
ББК 84(2Рос=Рус)6-44

Серия «Собрание»

Литературно-художественное издание

В. Суворов, И. Ратушинская, В. Буковский, И. Геращенко, М. Ледин

ЗОЛОТОЙ ЭШЕЛОН

Ответственный за выпуск *Е. Витковский*
Художественный редактор *А. Касьяненко*
Технолог *Г. Трушина*
Технический редактор *И. Маханёва*
Корректор *Л. Назарова*

Подписано в печать с готовых диапозитивов 10.10.2000.
Формат 84×108$^1/_{32}$. Гарнитура гарамонд. Печать высокая
с ФПФ. Бумага типографская. Печ. л. 8,0. Усл. п. л. 13,44.
Доп. тираж 5100 экз. Заказ 1898.

Издательство «Гудьял-Пресс».
Изд. лиц. № 065333 от 7.08.97.
111524, Москва, ул. Электродная, 10.

При участии ООО «Харвест». Лицензия ЛВ № 32
от 27.08.97. 220013, Минск, ул. Я. Коласа, 35-305.

Налоговая льгота — Общегосударственный классификатор
Республики Беларусь ОКРБ 007-98, ч. 1; 22.11.20.300

Республиканское унитарное предприятие
«Полиграфический комбинат имени Я. Коласа».
220005, Минск, ул. Красная, 23.